Reine
LEFEBVRE

Claire
L'ITALIEN

LE PETIT LEXIQUE

POUR RÉUSSIR SES PRODUCTIONS ÉCRITES

Le Petit Lexique
Pour réussir ses productions écrites

Coordination : Hélène Hubert
Révision linguistique : François Morin
Correction d'épreuves : Claire Leblanc
Impression : Interglobe inc.

Conception graphique et page couverture : Violette Vaillancourt
Illustrations : Claudine Lafontaine
Mise en pages : Maryse Barreyat

GRAFICOR
CHENELIÈRE ÉDUCATION

5800, rue Saint-Denis, bureau 900
Montréal (Québec) H2S 3L5 Canada
Téléphone : 514 273-1066
Télécopieur : 514 276-0324 ou 1 888 814-0324
info@cheneliere.ca

ISBN 2-89242-655-3

Dépôt légal : 2e trimestre 1998
Bibliothèque nationale du Québec
Bibliothèque nationale du Canada

Imprimé au Canada

13 14 15 16 17 M 17 16 15 14 13

Nous reconnaissons l'aide financière du gouvernement du Canada par l'entremise du Fonds du livre du Canada (FLC) pour nos activités d'édition.

Gouvernement du Québec — Programme de crédit d'impôt pour l'édition de livres — Gestion SODEC

TABLE DES MATIÈRES

POUR MIEUX ÉCRIRE V

LE TEXTE NARRATIF 1

LA SITUATION INITIALE 3

Le temps 3

Les moments du jour 3

Les jours, les semaines et les années 4

Les mois et les saisons 5

Les éléments célestes 8

Les éléments météorologiques 9

Le lieu 13

La ville 13

La campagne 16

Les zones climatiques 20

L'air, la mer, la montagne 30

Des ailleurs exotiques 32

Le personnage 35

Ses caractéristiques physiques 35

Ses caractéristiques psychologiques 45

Son mode de vie 52

Ses relations 55

Son métier, ses loisirs 58

LE DÉVELOPPEMENT DU RÉCIT 61

Les événements 61

Les réactions du personnage 62

Les actions du personnage 80

LA SITUATION FINALE 113

Le dénouement : l'échec ou la réussite 113

LE CONTE 117

Le merveilleux : le personnage, le lieu et l'objet 117

LE TEXTE ARGUMENTATIF 123

LES IDÉES 125

LES TRANSITIONS 131

BIBLIOGRAPHIE 133

INDEX 134

POUR MIEUX ÉCRIRE

«Écrire, c'est partir. Traverser le désert des idées, prendre la mer muse, survoler le monde des mots. Puis, on fait escale. Sur la ligne d'horizon, les lettres font de la gymnastique, tentent de garder l'équilibre. Et tout à coup, on voit poindre l'image sur la page. Saisissant paysage. C'est sans doute à cause de cela qu'on ne revient jamais de ces fascinants voyages.»

Marie Dufour, collection *Pratiques de productions écrites.*

Une invitation

POUR TOUS LES VOYAGEURS-EN-PARTANCE-POUR-LE-MONDE-DES-MOTS.

Vous êtes invités à prendre place à bord du **Petit Lexique**. Ensemble, nous traverserons le désert des idées, prendrons la mer muse et survolerons le monde des mots. Le vol sera simple, facile et permettra de découvrir de saisissants paysages. À l'escale, chaque voyageur verra poindre l'image sur la page. Image sans cesse renouvelée pour le plaisir du lecteur.

Bon voyage!

Reine et Claire

POUR MIEUX ÉCRIRE

Il y a un proverbe bien connu qui dit: « Chacun son métier... » Il en est de même quand vient le temps de choisir un ouvrage de référence. Chaque ouvrage possède une spécialité qui lui est propre: une grammaire pour se remémorer ou apprendre une règle, un dictionnaire pour connaître la définition ou l'orthographe d'un mot, un petit lexique pour trouver le mot juste qui traduit bien une idée.

COMMENT CONSULTER LE PETIT LEXIQUE ?

Prends le temps de feuilleter ton **Petit Lexique**. En suivant les exemples que voici, tu saisiras rapidement comment l'ouvrage est structuré et tu verras à quel point il est facile à consulter et d'une grande efficacité.

Le Petit Lexique intervient à chaque étape de l'écriture, soit:

- au départ, pour faire germer des idées avant de commencer ton texte;
- en cours de route, pour faire progresser ton texte;
- à la fin, pour réviser et améliorer ton texte.

D'abord, il faut préciser la tâche à accomplir. Dois-tu raconter une histoire (texte narratif) ou convaincre quelqu'un (texte argumentatif)?

Ce sont justement les deux grandes divisions du **Petit Lexique**:

I – Le texte narratif, p. 1

II – Le texte argumentatif, p. 123

Commençons par le **TEXTE NARRATIF** ou récit (nouvelle, conte). Tu sais que le texte narratif se divise en trois parties:

1. Situation initiale, p. 3
2. Développement (ou cœur) du récit, p. 61
3. Situation finale, p. 113

Rappelle-toi que la SITUATION INITIALE pose le **décor** dans lequel doit évoluer **un personnage** à un **moment donné**.

a) Le temps, p. 3

b) Le lieu, p. 13

c) Le personnage, p. 35

Ainsi, par exemple, tu trouveras à la page 13 la liste des **lieux** se rapportant à la ville. Tiens, tiens! et si ton histoire se passait dans *un bar*, à moins que ce ne soit dans *un aéroport*. Pourquoi pas à la campagne, dans *un manoir austère* p. 17 ? Mais ce n'est pas encore cela, tu veux écrire une histoire qui sorte de l'ordinaire.

POUR MIEUX ÉCRIRE

Tu voudrais pour ton héros, que tu imagines plus grand que nature, un décor qui lui ressemble, un environnement qui le dépasse. *La brousse* ou *le désert* p. 20 lui conviendrait davantage, à moins que ce ne soit dans les étendues glacées de l'hiver arctique p. 27 que tu préfères le voir évoluer.

Le **personnage** p. 35 offre une autre piste pour commencer ton récit. La liste des métiers présentée à la page 58 suggère une foule d'idées. Pourquoi pas *un juge* qui reçoit des menaces tandis qu'*un magicien* tente un tour de magie qui finit mal ? Qui sait où ton imagination peut te mener ? Toujours à propos du personnage, tu pourrais mettre en évidence un trait physique (visage, yeux, bouche, etc.) qui sort de l'ordinaire p. 37 ou une qualité p. 45 qui l'aiderait à atteindre son but, à moins qu'un défaut p. 47 ne devienne un obstacle à la réalisation de son projet.

Tu comprends maintenant à quel point **Le Petit Lexique** peut devenir un outil précieux pour **faire germer des idées** ?

LE DÉVELOPPEMENT DU RÉCIT, 2e partie d'un texte narratif, s'ouvre sur une liste d'**événements** p. 61, heureux ou malheureux, pouvant servir de piste **pour démarrer le récit, continuer l'histoire** ou même **redémarrer après une panne d'idées**. À l'occasion d'*un cadeau inattendu* p. 61, d'*une peine d'amour* p. 62 ou d'*un changement d'école* p. 61, ton personnage est *enchanté* p. 62, *en pâmoison* p. 63, *médusé* p. 67 ou *tourmenté* p. 71. Surtout ne te laisse pas aller au *désarroi* p. 69, car toutes les réactions de ton personnage p. 62 à 79, celles qui le *minent* p. 71 ou celles qui lui *vont droit au cœur* p. 75, le porteront à l'**action** p. 80 à 112.

Il marchera allègrement p. 80 tout en *regardant furtivement* p. 82 avant d'*arriver en trombe* p. 85 et d'*attaquer à l'improviste* p. 95 sans qu'on puisse *user de représailles* p. 98 contre lui. Encore une fois, il *réduira* ses ennemis *à l'impuissance* p. 115 avant de *mettre un point final* p. 114 à l'histoire (SITUATION FINALE, p. 113 à 116).

Passons au **TEXTE ARGUMENTATIF** p. 125. À l'inverse du texte narratif, qui laisse place à l'imagination, ce type de discours est plus rationnel. Il faut faire preuve d'habileté pour **convaincre** le lecteur de la justesse et de la richesse de sa pensée, d'où l'importance d'*affirmer* p. 129 clairement son opinion (thèse), de *réfuter* celle de l'autre p. 130 ou encore, dans un effort de *conciliation* p. 125, de réussir à *nuancer* son opinion p. 129.

Si, en plus, on prend le soin de lier les arguments à l'aide de **marqueurs de relation** p. 131 bien choisis, la rigueur de la pensée et la cohérence du raisonnement ne pourront qu'être démontrés avec évidence dans *la conclusion* p. 132.

POUR MIEUX ÉCRIRE

Une fois le texte terminé, il faut évidemment le **réviser. Le Petit Lexique** t'aidera, entre autres, à en améliorer le lexique et les phrases. L'emploi de synonymes et de termes précis évite la répétition et permet de varier le vocabulaire. À titre d'exemple, au lieu de « elle partit », tu peux écrire : elle *tira sa révérence*, elle *s'esquiva*, elle *fila à l'anglaise* p. 86.

Aux pages 110 à 112, tu trouveras 117 substituts au verbe *dire* : il marmonnait, il s'exclamait, il grognait, il pérorait, il rétorquait, il vociférait, etc. et 44 mots pour remplacer le verbe *faire*. Tu vois comme il est facile de varier son vocabulaire avec **Le Petit Lexique** ?

Pour illustrer l'effet que peuvent produire des mots bien choisis et bien agencés, **Le Petit Lexique** présente ici et là, par exemple aux pages 16 et 29, de courtes phrases (images évocatrices) construites avec les mots (noms, verbes, adjectifs ou expressions) tirés des différentes listes.

Le Petit Lexique met aussi les écrivains à contribution pour t'inspirer. Des phrases choisies avec soin, qui traduisent avec justesse et sensibilité le monde qui nous entoure, introduisent chacune des subdivisions.

LE TEXTE NARRATIF

Quelle que soit la chose qu'on veut dire, il n'y a qu'un mot pour l'exprimer, qu'un verbe pour l'animer et qu'un adjectif pour la qualifier.

Guy de Maupassant

LE TEXTE NARRATIF

Le récit d'aventures, le conte et la nouvelle ont un point en commun : leur forme narrative. Tous trois, en effet, sont des récits puisqu'ils racontent une histoire mettant en scène un personnage principal à qui il arrive des aventures qui lui permettent ou l'empêchent d'atteindre son but.

Élisabeth Vonarburg a expliqué l'essentiel de tout récit. Voici comment elle le présente dans un texte qui s'intitule justement «Une histoire».

UNE HISTOIRE

Il était une fois, en un certain endroit, un être qui possédait à la fois des forces et des faiblesses.

Cet être voulait atteindre un certain but.

Cependant, il y avait un (ou plusieurs) obstacles(s) à ce but, d'une nature telle qu'ils atteignaient l'être dans son point le plus vulnérable (ses faiblesses). L'être comprit que pour atteindre son but, il devait venir à bout de l'obstacle.

Il s'efforça donc d'écarter celui-ci, essayant un moyen puis un autre, et échouant plus ou moins à chaque fois. Il finit par admettre que ses faiblesses ne pouvaient être totalement annulées.

Mais fort de cette prise de conscience, il fit un dernier effort pour transcender ses faiblesses, et, en faisant cela, il renversa l'obstacle et atteignit son but.

Fin.

Élizabeth Vonarburg, *Comment écrire des histoires,* Beloeil, Éditions La Lignée inc., 1986.

Ainsi, *Il était une fois* correspond à la **situation initiale**. C'est le début de l'histoire. Dans cette partie, on devra créer le décor *(le lieu)*, présenter sommairement le personnage *(les caractéristiques physiques et psychologiques)* et préciser le moment et la durée de l'action *(le temps)*.

Puis, *cet être voulait atteindre un certain but.* Le personnage est maintenant face à un **événement** qui déclenchera la suite de l'histoire. C'est l'événement perturbateur.

Cependant, il y avait plusieurs obstacles à ce but : nous voilà au coeur du récit. C'est la partie qui raconte une succession d'**actions** et de **réactions** qu'entraîne l'événement perturbateur.

Finalement, *l'être renversa l'obstacle et atteignit son but.* C'est la **situation finale**, celle où l'on apprend enfin comment le personnage principal arrive à s'en sortir.

IL ÉTAIT UNE FOIS... LE TEMPS

Dans tout récit, c'est le narrateur qui est maître de l'histoire. C'est lui qui, dès la situation initiale, décide quand se déroulera l'aventure. Un bon conteur sait trouver les mots pour jouer avec le temps : le faire durer ou l'accélérer, ramener le lecteur en arrière ou, au contraire, le projeter dans le futur. Il sait tirer le fil du temps à travers le dédale du récit pour permettre au lecteur de le suivre partout, dans le passé, le présent et le futur.

Le temps, c'est vaste. Pour le nommer avec précision, il faut le diviser en portions. Moments du jour, de la semaine, du mois, des saisons et des années, voilà autant de manières d'évoquer le temps. Autour de ces mots se greffe une multitude de mots et d'expressions qui serviront à jalonner dans le temps le déroulement du récit.

LES MOMENTS DU JOUR

Le jour surgit lentement, de partout à la fois, envahissant le ciel de seconde en seconde...
Anne Hébert

Les moments du jour, des **noms** et des **expressions** pour les nommer

Le matin
à l'aube
à l'aurore
dans le jour naissant
au lever du soleil
dans la matinée
au petit jour
au petit matin
à la pointe du jour

Le midi
à l'angélus
dans l'après-midi
au cœur du jour
sur le midi
en plein midi
en plein jour
la sieste
au zénith

Le soir
à la brunante
entre chien et loup
au coucher du soleil
le crépuscule
au déclin du jour
au déclin du soleil
dans la pénombre
dans la soirée

La nuit
sur le minuit
dans la moiteur de la nuit
une nuit d'encre
une nuit étoilée
une nuit noire
une nuit sans lune
à la nuit tombante
dans les ténèbres de la nuit

Les moments du jour, des **adjectifs** pour les caractériser

Le matin
blafard, blafarde
brumeux, brumeuse
calme
frileux, frileuse
frisquet, frisquette
gris, grise

Le midi
ensoleillé, ensoleillée
étincelant, étincelante
éblouissant, éblouissante
nuageux, nuageuse
rayonnant, rayonnante
torride

Le soir
figé, figée
humide
languissant, languissante
maussade
silencieux, silencieuse
tiède

La nuit
glacial, glaciale
mystérieux, mystérieuse
obscur, obscure
opaque
sombre
terne

Les moments du jour, des **verbes** pour en parler

Le matin
apparaître
se lever
naître
poindre
surgir

Le midi
s'assombrir
briller
brûler
illuminer (qqch ou qqn)
resplendir

Le soir
décliner
s'épaissir
s'obscurcir
surprendre (qqn)
tomber

La nuit
envelopper (qqch ou qqn)
s'étendre sur (qqch)
plonger (qqch) dans le noir
veiller
voiler (qqch)

Les moments du jour, des **images évocatrices**

Peu à peu, l'aurore frileuse allumait les lumières du jour.
Le soleil éblouissant du midi incendiait la terre de tous ses feux.
La clarté du jour s'effaçait lentement pour laisser place à la pénombre.
Le nuit, telle une sorcière, cachait ses sortilèges.

LES JOURS, LES SEMAINES ET LES ANNÉES

Les jours sont des fruits et notre rôle est de les manger.
Jean Giono

Les jours, les semaines et les années, des **noms** et des **expressions** pour les nommer

Les jours	Les semaines	Les années
jour après jour	en fin de semaine	les années de jeunesse
un jour de congé	à longueur de semaine	les années folles
un jour de fête	à la petite semaine	des années-lumière
de jour en jour	à la semaine	une décennie
un jour férié	en semaine	au fil des ans
au jour le jour	de semaine en semaine	dans les jours anciens
le lendemain	la semaine des quatre jeudis	un siècle
la veille	la semaine de relâche	dans ses vieux jours

Les jours, les semaines et les années, des **adjectifs** pour les caractériser

Les jours	Les semaines	Les années
faste	agité, agitée	annuel, annuelle
fatidique	banal, banale	antérieur, antérieure
funeste	hebdomadaire	bissextile
heureux, heureuse	inoubliable	écoulé, écoulée
maussade	interminable	fertile
monotone	libre	précédent, précédente
morne	mémorable	prospère
quotidien, quotidienne	perdu, perdue	révolu, révolue
serein, sereine	rempli, remplie	sabbatique
solennel, solennelle	reposant, reposante	scolaire
sombre	surchargé, surchargée	ultérieur, ultérieure

Les jours, les semaines et les années, des **verbes** pour en parler

Les jours	Les semaines	Les années
s'allonger	s'achever	compter les années
s'écouler	s'annoncer bien ou mal	débuter
fuir	écourter	défiler
prendre fin	se prolonger	s'égrener
se raccourcir	se répéter	s'étioler
se ressembler	traîner en longueur	prédire une bonne année
se suivre	voir venir les semaines	se succéder

Les jours, les semaines et les années, des **images évocatrices**

Un à un, les jours se succèdent inlassablement.
Il promettait tout pour la semaine des quatre jeudis.
Au fil des ans, l'orme de mon enfance a résisté au cycle des saisons.

LES MOIS ET LES SAISONS

Les sanglots longs des violons de l'automne blessent mon cœur d'une langueur monotone.
Paul Verlaine

Les mois, des **noms** et des **périphrases** pour les nommer

Janvier le nouvel an
la Saint-Sylvestre
le temps des résolutions

Février le carnaval
le mardi gras
la Saint-Valentin

Mars la débâcle
l'équinoxe du printemps
la fonte des neiges
le printemps

Avril le mois des giboulées
Pâques
le temps des sucres

Mai l'éclosion des bourgeons
le mois de Marie
le temps du muguet

Juin la fin de l'année scolaire
la période des examens
la Saint-Jean
le solstice d'été
le temps des lilas
le temps des semailles

Juillet le début des vacances
le mois des canicules
les orages électriques

Août le mois des moissons
le temps des éphémérides

Septembre l'équinoxe d'automne
la rentrée scolaire
les vendanges

Octobre l'Action de grâce
l'Halloween
le temps de la chasse

Novembre la migration des oiseaux
le mois des morts

Décembre Noël
la période des fêtes
le solstice d'hiver
le temps des réjouissances

Les saisons, des **mots** et des **expressions** pour les nommer

Le printemps
la saison des amours
la saison des semailles
la saison du renouveau
la saison nouvelle
le retour des oiseaux migrateurs
le réveil de la nature

L'automne
l'arrière-saison
la chute des feuilles
l'été de la Saint-Martin
l'été des Indiens
la saison des pluies
la saison des récoltes

L'été
la belle saison
la saison estivale
le temps des canicules
le temps des fleurs
le temps des vacances
la verte saison

L'hiver
la blanche saison
la longue saison
la saison des neiges
la saison froide
la saison morte
le sommeil de la nature

LA SITUATION INITIALE

Les saisons, des adjectifs pour les caractériser

Le printemps
embaumé, embaumée
enchanteur, enchanteresse
hâtif, hâtive
précoce
printanier, printanière
radieux, radieuse
tardif, tardive
timide

L'été
estival, estivale
fleuri, fleurie
frais, fraîche
humide
orageux, orageuse
sec, sèche
torride
verdoyant, verdoyante

L'automne
automnal, automnale
fécond, féconde
lugubre
mélancolique
multicolore
pluvieux, pluvieuse
terne
venteux, venteuse

L'hiver
doux, douce
dur, dure
glacial, glaciale
hivernal, hivernale
neigeux, neigeuse
rigoureux, rigoureuse
rude
sibérien, sibérienne

Les saisons, des **verbes** et des **expressions** pour en parler

Le printemps
allonger les jours
attendre au printemps
s'éveiller
faire les semailles
renaître
tarder

L'été
coucher à la belle étoile
ensoleiller les jours
estiver
faire chanter les cigales
fêter l'été
prendre des vacances

L'automne
colorer les feuilles
dénuder les arbres
engranger le foin
entrer en sommeil
labourer la terre
récolter les pommes

L'hiver
s'abattre
s'adoucir
braver l'hiver
endormir la nature
ensevelir sous la neige
hiverner

Les mois et les saisons, des **images évocatrices**

Avec le solstice de juin, l'été s'installait pour de bon.
Les éphémérides d'août rayaient le ciel de traînées lumineuses.
Les bourgeons brisaient leurs gaines pour s'offrir au soleil.
Le chant obsédant des cigales troublait le silence de l'été.
Les labours d'automne avaient éventré les champs.
Couverts de verglas, les arbres étaient devenus de fragiles bouquets de verre.

Le soleil, la lune, les étoiles, etc., voilà autant d'éléments célestes qui évoquent le temps et qui permettront d'ajouter de l'atmosphère dans un récit.

LES ÉLÉMENTS CÉLESTES

Le soleil couchant fendait l'eau, comme le glaive onduleux d'un mage.
Pauline Harvey

Les éléments célestes, des **noms** et des **expressions** pour les nommer

Le soleil
l'astre du jour
l'astre lumineux
une boule de feu
au grand soleil
la lumière du jour
en plein soleil
le soleil au zénith
un soleil de feu
un soleil de plomb

La lune
l'astre de la nuit
l'astre froid
au clair de lune
un croissant de lune
le halo de la lune
la lumière de la nuit
un quartier de lune
la reine de la nuit
le satellite de la Terre

Les étoiles
les constellations
les démons du ciel
l'étoile des rois mages
l'étoile du matin
l'étoile polaire
les étoiles filantes
les filles de la nuit
une pluie d'étoiles
la ronde des étoiles

Le ciel
un ciel d'azur
un ciel de plomb
le cosmos
le firmament
la voie céleste
la voûte étoilée

Les planètes
un astéroïde
les corps célestes
l'étoile du berger (Vénus)
la planète rouge (Mars)
la planète bleue (la Terre)
un satellite

Les constellations
le Centaure
la Croix du Sud
une galaxie
la Grande Ourse
Orion
la Petite Ourse

Les éléments célestes, des **adjectifs** pour les caractériser

Le soleil
ardent, ardente
aveuglant, aveuglante
brûlant, brûlante
éblouissant, éblouissante
pâle
timide
torride

La lune
argenté, argentée
blafard, blafarde
cendré, cendrée
clair, claire
nouveau, nouvelle
plein, pleine
roux, rousse

Les étoiles
brillant, brillante
géant, géante
immobile
innombrable
mystérieux, mystérieuse
rare
scintillant, scintillante

Le ciel
équatorial, équatoriale
lourd, lourde
sombre
variable

Les planètes
chevelu, chevelue
désertique
gazeux, gazeuse
tellurique

Les constellations
austral, australe
lumineux, lumineuse
nébuleux, nébuleuse
septentrional, septentrionale

LA SITUATION INITIALE

Les éléments célestes, des **verbes** pour en parler

Le soleil
briller de tous ses feux
chauffer la terre
darder ses rayons
dorer les épis
étinceler
flamboyer
luire
répandre sa lumière

La lune
décliner
décroître
éclairer la nuit
s'estomper
monter dans le ciel
percer les nuages
suspendre
veiller

Les étoiles
s'allumer
apparaître
clignoter
s'éteindre
étinceler
guider
scintiller
traverser le ciel

Le ciel
s'éclaircir
s'ennuager
s'obscurcir
se voiler

Les planètes
culminer
être visible à l'œil nu
graviter
poursuivre sa course

Les constellations
briller
émerger à l'horizon
observer les constellations
repérer une constellation

Les éléments célestes, des **images évocatrices**

Un soleil de plomb dardait ses rayons sur les blés déjà mûrs.
La lune d'octobre, sentinelle immobile, veillait sur le hameau silencieux.
Le ciel piqué d'étoiles invitait à la rêverie.
Les planètes inexplorées nourriront encore longtemps l'imaginaire des Terriens.
La constellation de la Grande Ourse scintille dans le ciel d'hiver.

Vent violent, averses torrentielles, neige abondante, autant d'éléments météorologiques pour parler du temps et créer une atmosphère propice au récit.

LES ÉLÉMENTS MÉTÉOROLOGIQUES

Le froid avait fait place à une grosse neige qui tombait généreuse, silencieuse, immaculée...
Félix Leclerc

Les éléments météorologiques, des **noms** et des **expressions** pour les nommer

Le vent
l'aquilon
la bise
le blizzard
une bourrasque
la brise
le chinook

Les nuages
un banc de nuages
du brouillard
de la brume
des cirrus
des cumulus
une écharpe de nuages

Les précipitations
une averse
la bruine
le crachin
un déluge
une giboulée
la grêle

→

le noroît
une rafale
une tornade
un typhon
un zéphyr

une masse nuageuse
des moutons
des nimbus
la nuée
des stratus

le grésil
une ondée
une poudrerie
la rosée
le verglas

Les éléments météorologiques, des **adjectifs** pour les caractériser

Le vent	Les nuages	Les précipitations
âpre	argenté, argentée	abondant, abondante
caressant, caressante	bas, basse	bienfaisant, bienfaisante
furieux, furieuse	empourpré, empourprée	contrariant, contrariante
glacial, glaciale	lourd, lourde	dévastateur, dévastatrice
impétueux, impétueuse	menaçant, menaçante	diluvien, diluvienne
léger, légère	moutonné, moutonnée	fin, fine
sec, sèche	noir, noire	subit, subite
violent, violente	sombre	torrentiel, torrentielle

Les éléments météorologiques, des **verbes** et des **expressions** pour en parler

Le vent	Les nuages	Les précipitations
bercer les blés	s'amasser	s'abattre
se déchaîner	s'amonceler	cesser
hurler	crever	cingler
mordre le visage	se disperser	crépiter
mugir	se dissiper	engloutir
siffler	se former	ensevelir
souffler	monter	fondre
tordre les arbres	percer les nuages	fouetter
tourbillonner	voiler le soleil	sévir

Les éléments météorologiques, des **images évocatrices**

Un vent violent sculptait des figurines fugitives avec le sable de la plage.
Les nuages se suivaient dans le ciel comme un troupeau de moutons blancs.
La rue s'était recouverte d'un édredon de brume.
Une cataracte de pluie s'abattait sur la ville.
La neige légère avait ourlé les clôtures de la maison.

Après la situation initiale, le temps ne s'arrête pas, il continue d'avancer heure après heure, jour après jour, en même temps que le récit. Il faudra donc y glisser des indices de temps pour guider le lecteur. Les adverbes de temps sont alors tout indiqués.

LES ADVERBES ET AUTRES INDICES DE TEMPS

Tout à coup le vent fraîchit. La montagne devint violette ; c'était le soir. [...] Au même moment, une trompe sonna bien loin dans la vallée.

Alphonse Daudet

Les adverbes et autres indices de temps

à l'instant de
à l'occasion de
alors
antérieurement
après
aujourd'hui
auparavant
autrefois
avant
bientôt
de temps en temps
déjà
demain
depuis
dernièrement
dès
désormais
dorénavant
durant
encore
enfin
ensuite
entre-temps
hier
immédiatement
jadis
jamais
jusqu'à ce que
longtemps
lors de
maintenant
naguère
parfois
puis
quelquefois
sitôt
soudain
sous peu
souvent
sur-le-champ
sur le coup de
tant que
tantôt
tard
tôt
toujours
tout de suite
tout à l'heure

Dans tout récit, il arrive un moment où les événements se précipitent, où l'action se joue tout à coup. C'est le moment où tout peut arriver, c'est le jour «J» ou l'heure «H».

LE MOMENT

Les passagères, à peine éclairées par les lanternes de la cour, demeurèrent immobiles jusqu'au moment où la femme à l'allure militaire les fit descendre, en leur lançant des ordres frustres, comme à la maternelle.

Gabriel Garcia Marquez

Le moment, des **noms** et des **expressions** pour le caractériser

à aucun moment
à ce moment-là
à tout moment
à un moment donné
au dernier moment
au même moment
au moment de
au moment où
d'un moment à l'autre
dans un moment
en ce moment
en un moment
grand moment
le moment présent
mauvais moment
par moments
pour le moment
pour un moment
sur le moment
un bon moment
un bref moment
un moment convenable
un moment crucial
un moment décisif
un moment fatal
un moment fatidique
un moment favorable
un moment important
un moment opportun
un moment propice

LA SITUATION INITIALE

IL ÉTAIT UNE FOIS... LE LIEU

La ville, la campagne, la jungle, la toundra, le désert, autant de lieux, autant de climats, où l'action peut se dérouler. Qu'ils soient réels, fantastiques ou étranges, le défi consiste à les décrire si habilement que le lecteur aura l'impression d'y être véritablement.

New York ! À la seule évocation de ce mot, défilent des gratte-ciel illuminés, des stations de métro barbouillées de graffitis, des ruelles sombres. La ville, c'est un monde particulier, avec ses restaurants, ses bars, ses aéroports, ses embouteillages, sans oublier la pollution.

Il y a des lieux qu'on habite, d'autres où l'on travaille et enfin d'autres où l'on se procure des biens et services. On les trouvera ici dans la colonne des habitations.

Il y a aussi toutes les autres réalités qui caractérisent le milieu urbain : les autoroutes, les boulevards, les ruelles, sans oublier les odeurs et les bruits. Voilà l'environnement.

LA VILLE

La ville, ses habitations et son environnement

Je n'ai jamais vu Genève, mais je présume qu'il doit y avoir [...] des hôtels ouatés, de grandes terrasses ouvertes sur la lune et la douceur mélancolique des violons, des journées lumineuses et des soirées illuminées.

Sébastien Japrisot

Les habitations

La ville, ses habitations, des **noms** pour les nommer

un aéroport
un appartement
un atelier
un bar
une basilique
un bâtiment
une bibliothèque
un bistrot
un bouge
une boutique
un bungalow
un bureau
un bureau de poste
un café
une cathédrale
un cégep
un centre commercial
un centre d'accueil
un centre de loisirs
un cinéma
un collège
un couvent
une demeure
un domicile
une école
une église
un entrepôt
un foyer
un galetas
une galerie

→

un garage
une garçonnière
une gare
un grand magasin
un gratte-ciel
un gymnase
un hangar
un HLM
un hôpital
un hôtel
un immeuble
un kiosque
un loft
un logement
un logis
une maison en rangée
une maison jumelée
une mansarde
un musée
un palace
un palais
un palais de justice
un pied-à-terre
un presbytère
une remise
une résidence
un restaurant
une station-service
un studio
un supermarché
un taudis
une taverne
un temple
une terrasse
un terminus
un théâtre
une tour
une université
une usine

La ville, ses habitations, des **adjectifs** et des **expressions** pour les caractériser

ancestral, ancestrale
antique
confortable
coquet, coquette
cossu, cossue
délabré, délabrée
désaffecté, désaffectée
désert, déserte
étrange
exigu, exiguë
fleuri, fleurie
hospitalier, hospitalière
inhabité, inhabitée
luxueux, luxueuse
malfamé, malfamée
moderne
pittoresque
silencieux, silencieuse
sinistre
somptueux, somptueuse
spacieux, spacieuse
typique
urbain, urbaine
vétuste

La ville, ses habitations, des **verbes** pour en parler

aménager
bâtir
cohabiter
construire
décorer
déménager
démolir
élire domicile
emménager
ériger
évincer
meubler
piller
regagner
rénover
résider
saccager
séjourner
vendre
visiter
vivre

L'environnement

La ville, son environnement, des **noms** et **expressions** pour en parler

une aubette
une artère
une autoroute
une avenue
une banlieue
un bidonville
un boulevard
une capitale
un carrefour
un centre-ville
la circulation
la cité
un cul-de-sac
un échangeur
un embouteillage
un ghetto
un îlot de verdure
le métro
une métropole
une municipalité
un parc
un pâté de maisons
une piste cyclable
une place
un quartier
une rue piétonnière
une ruelle
une ville-dortoir
une voie de desserte
une voie réservée

La ville, son environnement, des **adjectifs** pour le caractériser

achalandé, achalandée
assourdissant, assourdissante
cosmopolite
culturel, culturelle
de béton
désert, déserte
encombré, encombrée
fantôme
gigantesque
historique
industriel, industrielle
insalubre
insolite
malfamé, malfamée
malsain, malsaine
manufacturier, manufacturière
moyenâgeux, moyenâgeuse
multi-ethnique
pollué, polluée
sécuritaire
souterrain, souterraine
suffocant, suffocante
surpeuplé, surpeuplée
tentaculaire
touristique
trépidant, trépidante

La ville, son environnement, des **verbes** pour en parler

arpenter
bétonner
circuler
converger
se croiser
débarquer
déboucher
découvrir
se développer
émigrer
emprunter
envahir
s'établir
s'étendre
frayer
longer
polluer
ratisser
sillonner
traverser

La ville, ses habitations et son environnement, des **images évocatrices**

Telles des fusées, les gratte-ciel s'élançaient vers les nuages.
Les autoroutes à quatre voies convergeaient sur la ville comme des toiles d'araignées.

Pour qu'une description soit vivante, faire voir les éléments du paysage ne suffit pas toujours. Il est parfois important de faire entendre certains sons, de faire sentir certaines odeurs, de faire voir certaines couleurs.

La ville, ses sons, ses odeurs, ses lumières

À la sortie du restaurant, [...] dans cette mer ondulante des lumières de la nuit sur Paris [...] les voitures klaxonnaient [...].

Roch Carrier

LA SITUATION INITIALE

La ville, ses sons, ses odeurs et ses lumières, des **noms** et des **expressions** pour les nommer

Les sons	Les odeurs	Les lumières
un brouhaha	des émanations	une enseigne lumineuse
une clameur	une pestilence	un lampadaire
un crissement de pneus	une puanteur	un néon
une pétarade	un relent	les phares des voitures
un vrombissement	une senteur	une vitrine illuminée

La ville, ses sons, ses odeurs et ses lumières, des **adjectifs** pour les caractériser

Les sons	Les odeurs	Les lumières
fracassant, fracassante	âcre	aveuglant, aveuglante
perçant, perçante	envoûtant, envoûtante	clignotant, clignotante
retentissant, retentissante	nauséabond, nauséabonde	éblouissant, éblouissante
strident, stridente	pestilentiel, pestilentielle	hallucinant, hallucinante
tonitruant, tonitruante	ragoûtant, ragoûtante	multicolore
tumultueux, tumultueuse	suffocant, suffocante	obsédant, obsédante

La ville, ses sons, ses odeurs et ses lumières, des **verbes** pour en parler

Les sons	Les odeurs	Les lumières
assourdir	se dégager	aveugler
retentir	émaner	chatoyer
agresser	empester	clignoter
déchirer les tympans	empuantir	envelopper
pétarader	s'exhaler	illuminer
vrombir	infecter	rayonner
détoner	monter au nez	se refléter dans
grincer	prendre à la gorge	scintiller

La ville, ses sons, ses odeurs et ses lumières, **des images évocatrices**

Une clameur tumultueuse montait de la place.
Cette partie du quartier chinois baignait dans des parfums exotiques.
Les néons multicolores versaient dans la rue leurs éclats séducteurs.

LA CAMPAGNE

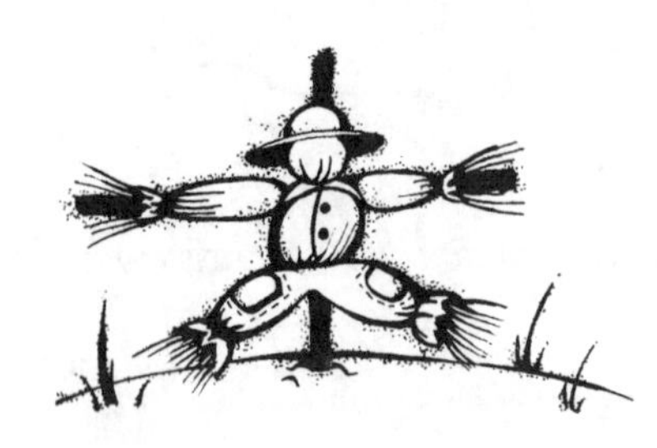

La campagne, ce n'est pas seulement des fermes verdoyantes avec leurs troupeaux de vaches. C'est aussi des champs et des forêts à perte de vue, des villages coquets et des ruisseaux cachés qui invitent à des activités différentes de celles de la ville. Voilà ce qu'il faut avoir en tête quand on décide d'installer son histoire à la campagne.

La campagne, ses habitations et son environnement

Elle sauta les clôtures, écorcha ses pieds nus en traversant les champs, parcourut toute la ferme du nord au sud, sans reprendre son souffle. [...] Elle fureta jusqu'à ce qu'elle trouve une sorte de sentier, une fissure dans la falaise, elle s'y glissa...

Noël Audet

Les habitations

La campagne, ses habitations, des **noms** et des **expressions** pour les nommer

une auberge
un bureau de poste
une cabane à sucre
une caravane
un chalet
un château
une chaumière
un chenil
un clapier
un camp de vacances
une écurie
une église
une étable
un fenil
une ferme
une gare
un gîte
une grange
un grenier
un magasin général
un manoir
une masure
un monastère
un palais
un pavillon
une porcherie
un port de pêche
un poulailler
un presbytère
une remise
un restaurant
une roulotte
un silo
une station-service
une tente
un terminus

La campagne, ses habitations, des **adjectifs** et des **expressions** pour les caractériser

abandonné, abandonnée
accueillant, accueillante
ancestral, ancestrale
antique
austère
biscornu, biscornue
champêtre
coquet, coquette
déglingué, déglinguée
en bois rond
en pierre des champs
ensoleillé, ensoleillée
fleuri, fleurie
hanté, hantée
humble
isolé, isolée
lugubre
pittoresque
rural, rurale
rustique
silencieux, silencieuse
spacieux, spacieuse
typique
vétuste

La campagne, ses habitations, des **verbes** et des **expressions** pour en parler

accueillir
accumuler
aménager
se cacher
calfeutrer
crouler sous la neige
déménager
désoler
élire domicile
éloigner
emménager
engranger
héberger
hiverner
isoler
mettre en réserve
regagner
rénover
résider
restaurer
séjourner
retirer
visiter
vivre

L'environnement

La campagne, son environnement, des **noms** et **expressions** pour en parler

une base de plein air
un belvédère
un bosquet
un bourg
un canton
un cap
une cascade
un centre de villégiature
un champ
un chemin
une chute
une colline
une contrée
un coteau
une digue
une dune
un estuaire
un étang
une falaise
un faubourg
une forêt
un fossé
un fourré
un golfe
une grève
une grotte
une halte routière
un hameau
un haut-fond
un havre
une île
un lac
une localité
un marais
un mont
une montagne
un parc de conservation
un patelin
une péninsule
une plage
une plaine
une pointe
une presqu'île
un promontoire
un quai
un rang
un rapide
un ravin
un récif
une réserve faunique
une rivière
un rocher
une route
un ruisseau
une savane
des sillons
un taillis
une tourbière
une vallée
un vallon
un verger
un vignoble
un village

La campagne, son environnement, des **adjectifs** pour le caractériser

agreste
bourbeux, bourbeuse
bucolique
caché, cachée
caillouteux, caillouteuse
campagnard, campagnarde
désert, déserte
discret, discrète
dissimulé, dissimulée
fantôme
fertile
luxuriant, luxuriante
montagneux, montagneuse
paisible
pastoral, pastorale
à perte de vue
rocailleux, rocailleuse
rural, rurale
rustique
sablonneux, sablonneuse
sinueux, sinueuse
touristique
vallonné, vallonnée
verdoyant, verdoyante

La campagne, son environnement, des **verbes** pour en parler

bifurquer
se blottir dans
contempler
couler
déboucher sur
se dissimuler
se dresser
embaumer
errer à travers
explorer
gravir
jouir de
longer
se perdre dans
serpenter
sillonner
traverser
verdoyer

La campagne, ses habitations et son environnement, des **images évocatrices**

La vieille maison de bois appuyait contre la falaise sa carcasse toute déglinguée.
La route serpentait jusqu'au fond de la vallée.
À l'approche du verger, le parfum des fleurs nous enivrait comme des abeilles saoulées de nectar.

Les odeurs, les couleurs et les bruits propres à la campagne sont des éléments à exploiter pour compléter une description qui permettra au lecteur de mieux s'imaginer les lieux.

La campagne, ses bruits, ses odeurs, ses lumières

En même temps que les premières feuilles, d'un vert très tendre, arrivèrent non seulement les oies blanches et les outardes, mais aussi des bandes de gros becs qui répandaient partout leurs taches mouvantes de noir et de jaune...

Jacques Poulin

La campagne, ses bruits, ses odeurs et ses lumières, des **noms** pour les nommer

Les bruits	Les odeurs	Les lumières
un bourdonnement	un arôme	un fanal
un bruissement	un effluve	un feu follet
un clapotis	une exhalaison	un feu de grève
un frémissement	un fumet	une lanterne
un froissement	un relent	une luciole
un roucoulement	un remugle	une veilleuse
un sifflement	une senteur	un ver luisant

La campagne, ses bruits, ses odeurs et ses lumières, des **adjectifs** pour les caractériser

Les bruits	Les odeurs	Les lumières
charmeur, charmeuse	champêtre	blafard, blafarde
doux, douce	fétide	feutré, feutrée
harmonieux, harmonieuse	floral, florale	fugitif, fugitive
imperceptible	suave	lointain, lointaine
monotone	musqué, musquée	vacillant, vacillante
musical, musicale	pénétrant, pénétrante	voilé, voilée

La campagne, ses bruits, ses odeurs et ses lumières, des **verbes** pour en parler

Les bruits	Les odeurs	Les lumières
bercer	dégager	guider
bruire	émaner	illuminer
charmer	embaumer	luire
gazouiller	exhaler	scintiller
murmurer	parfumer	vaciller

La campagne, ses bruits, ses odeurs et ses lumières, des **images évocatrices**

Les effluves champêtres grisaient les visiteurs.
Le clapotis de l'eau chantait une berceuse à notre esprit assoupi.
Les feux intermittents des lucioles patrouillaient le jardin comme un essaim de fées mystérieusement affairées.

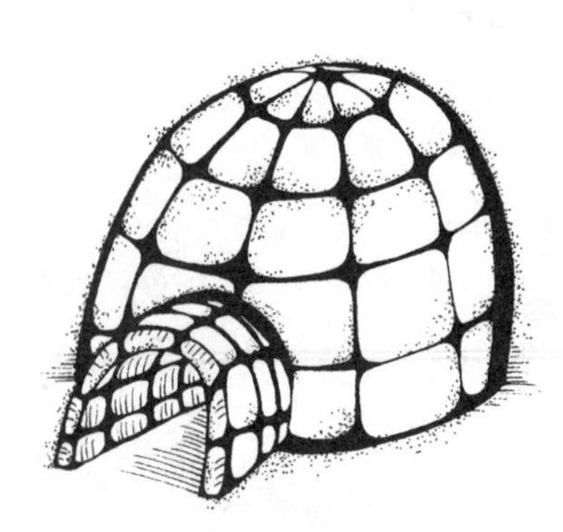

Certains héros exigeront comme décor la nature sauvage à laquelle ils se confrontent. Parce que la nature est très différente d'un climat à l'autre, on ne peut ignorer les zones climatiques. Où trouve-t-on un igloo ? Une isba ? Une paillote ?

LES ZONES CLIMATIQUES

Le climat chaud, ses habitations, son environnement et sa culture

La terrasse au dallage en damier [...] était une oasis de fraîcheur dans la chaleur de l'après-midi, et elle donnait sur un patio protégé par les grandes ombres des manguiers et des bananiers...

Gabriel Garcia Marquez

Le climat chaud, ses habitations, son environnement, sa culture, des **noms** pour en parler

Les habitations	L'environnement	La culture
une baraque	la brousse	un boubou
un bazar	le désert	un burnous
une cahute	une dune	un djellaba
une casbah	un felouque	le fado
une case	un indigène	la flûte de Pan
une hacienda	une jonque	un narguilé

→

une hutte
une maison sur pilotis
une mosquée
une paillote
une tente
une villa

la mousson
une oasis
une pirogue
les Pygmées
un sampan
une savane

une outre
un pagne
une sarbacane
un sarong
un sombrero
un tam-tam

Le climat chaud, ses habitations, son environnement, sa culture, des **adjectifs** et des **expressions** pour les caractériser

Les habitations	L'environnement	La culture
austère	aride	aromatique
baignée de soleil	désertique	artisanal, artisanale
de chaume	envoûtant, envoûtante	épicé, épicée
en argile	humide	exotique
en feuilles de palmier	impénétrable	fruste
en lattes de bambou	luxuriant, luxuriante	primitif, primitive
en paille	rudimentaire	raffiné, raffinée
en torchis	torride	rythmé, rythmée

Le climat chaud, ses habitations, son environnement, sa culture, des **verbes** et des **expressions** pour en parler

Les habitations	L'environnement	La culture
allumer un brasero	chasser dans la brousse	cultiver le café
assembler des bambous	s'engager dans la jungle	frapper le tam-tam
couvrir de chaume	manœuvrer à la pagaie	pilonner le manioc
dresser la tente	tendre les filets	tailler la canne à sucre
façonner l'argile	traverser le désert	tisser le kapok

Le climat chaud, ses habitations, son environnement, sa culture, des **images évocatrices**

Les paillotes, fragiles sentinelles, veillent autour des feux de charbon.
Les femmes drapées de longs sarongs aux couleurs chatoyantes bavardent et rient.
Les cordons de dunes enchaînent le désert.

À chaque climat correspondent une flore et une faune qui, comme les habitations ou l'environnement, sont révélatrices du lieu où se déroule un récit.

LA SITUATION INITIALE

Le climat chaud, sa flore et sa faune

Les girafes arrêtent de brouter [...]. Effrayées, elles prennent la fuite avec une démarche élégante, le long cou ondulant d'avant en arrière tandis que leurs longues pattes grêles les transportent à l'autre bout de la plaine.

Blaise Marchand

Le climat chaud, sa flore, des **noms** pour la nommer

un acacia
un ananas
du bambou
un bananier
un banian
un baobab
un cacaoyer
un cactus
un caféier
de la canne à sucre
un cannelier
un cocotier
un ébénier
un figuier
un hévéa
du jasmin
la jungle
un magnolia
un manguier
du manioc
du mil
une orchidée
un palétuvier
un palmier
du riz
un santal
une savane

Le climat chaud, sa flore, des **adjectifs** pour la caractériser

abondant, abondante
aromatique
charnu, charnue
dense
épineux, épineuse
équatorial, équatoriale
exubérant, exubérante
fleuri, fleurie
fruitier, fruitière
inextricable
insolite
luxuriant, luxuriante
odoriférant, odoriférante
rabougri, rabougrie
tropical, tropicale
vierge

Le climat chaud, sa flore, des **verbes** pour la nommer

bourgeonner
couvrir
croître
se dessécher
embaumer
s'enchevêtrer
s'étendre
s'étioler
foisonner
germer
jaunir
parfumer
se raréfier
reverdir
suinter

Le climat chaud, sa faune, des **noms** pour la nommer

un alligator
une antilope
une autruche
un boa
un buffle
un caméléon
un chacal
un chameau
un chimpanzé
un cobra
un crocodile
un dromadaire
un éléphant
une gazelle
une girafe
un gorille
un hippopotame
une hyène
un ibis
un iguane
un jaguar
un léopard
un lion
un marabout

→

un mérou
une mouche tsé-tsé
un ouistiti
une panthère
un perroquet
un piranha
un python
un tamanoir
un tigre
un toucan
un zèbre
un zébu

Le climat chaud, sa faune, des **adjectifs** et des **expressions** pour la caractériser

agile
belliqueux, belliqueuse
diversifié, diversifiée
en voie d'extinction
féroce
gluant, gluante
menaçant, menaçante
redoutable
robuste
sauvage
sournois, sournoise
tacheté, tachetée
tavelé, tavelée
venimeux, venimeuse
visqueux, visqueuse
zébré, zébrée

Le climat chaud, sa faune, des **verbes** et des **expressions** pour en parler

bondir
camoufler
capturer
étrangler
se faufiler
fendre l'air
grouiller de
infester
injecter
mordre
piquer
pulluler
ramper
regorger de
se tapir

Le climat chaud, sa flore et sa faune, des **images évocatrices**

L'odeur envoûtante des magnolias se mêlait à l'arôme épicé du cumin.
Des palmiers géants bordaient la route.
Les ouistitis moqueurs fendaient l'air de leurs cris perçants.

Pour qu'une description soit vivante, faire VOIR les éléments ne suffit pas toujours. Il est parfois important de faire ENTENDRE certains bruits, de faire SENTIR certaines odeurs.

Les cris d'animaux

le barrissement de l'éléphant
le bourdonnement des insectes
le feulement du tigre
le hennissement du zèbre
le hurlement de la hyène
le jappement du chacal
le mugissement du buffle
le rugissement du lion
le sifflement du serpent
le vagissement du crocodile

Les odeurs

l'odeur acidulée des oranges
l'odeur âcre de la fumée
l'odeur alléchante du méchoui
l'odeur capiteuse de l'ilang-ilang
l'odeur envoûtante du magnolia
l'odeur grisante du giroflier
l'odeur musquée du patchouli
l'odeur persistante du jasmin
l'odeur piquante du poivrier
l'odeur suave du santal

Le climat tempéré, ses habitations, son environnement et sa culture

Bâtie au creux d'un vallon herbeux, elle (la maison du vallon) ressemblait davantage à un gros champignon brun poussé là par hasard qu'à une maison comme les autres. Un long sentier vert y conduisait et un cercle de jeunes bouleaux la dissimulait presque à la vue.

Lucy Maud Montgomery

Le climat tempéré, ses habitations, son environnement, sa culture, des **noms** et des **expressions** pour les nommer

Les habitations	L'environnement	La culture
une cabane à sucre	une carrière de granit	un accordéon
un camp de bûcheron	le chinook	un baladeur
un chalet	une érablière	un blouson
une chaumière	le fœhn	un complet
un cottage	du frimas	une écharpe
une datcha	une goélette	un festival
un domaine	la neige	un harmonica
une isba	un paquebot	un jean
une péniche	la prairie	la mazurka
un ranch	la steppe	le rock
une yourte	le verglas	une tourtière

Le climat tempéré, ses habitations, son environnement, sa culture, des **adjectifs** et des **expressions** pour les caractériser

Les habitations	L'environnement	La culture
en brique	herbeux, herbeuse	américanisé, américanisée
en pierre	menaçant, menaçante	autochtone
illuminé, illuminée	neigeux, neigeuse	emprunté, empruntée
isolé, isolée	poudreux, poudreuse	moderne
spacieux, spacieuse	saisonnier, saisonnière	typique

Le climat tempéré, ses habitations, son environnement, sa culture, des **verbes** et des **expressions** pour en parler

Les habitations	L'environnement	La culture
arpenter le domaine	couper du bois	aller au concert
calfater la péniche	faire les vendanges	décorer le sapin
entailler les érables	moissonner le blé	descendre en skis
exploiter un ranch	orienter en forêt	éplucher le maïs
fleurir le cottage	pelleter la neige	faire des conserves
rapiécer la yourte	ramasser les feuilles	faire du camping
rénover le chalet	remiser les bicyclettes	patiner

LA SITUATION INITIALE

Le climat tempéré, ses habitations, son environnement, sa culture, des **images évocatrices**

Un camp de bûcheron perdu en pleine forêt leur servait de cachette.
La carrière abandonnée, cratère ouvert sur le ciel, blesse le regard du voyageur.
Baladeur sur les oreilles, elle attendait sous une aubette enneigée un autobus de banlieue qui n'arrivait pas.

Le climat tempéré, sa flore et sa faune

On était aux premiers jours d'octobre, jours de lumière violente, de grands éclairages dramatiques dans lesquels on peut voir des nuées d'oiseaux voler très bas, suivre les serpents des rivières vers le sud, traverser le ciel en longues noces oscillantes, au-dessus de nos têtes.

Robert Lalonde

Le climat tempéré, sa flore, des **noms** pour la nommer

une aubépine
l'avoine
le blé
des bleuets
le boisé
un bouleau
les broussailles
la bruyère
le buisson
un cèdre
un champignon
un chêne
le chèvrefeuille
un épilobe
une épinette
un érable
un framboisier
la fougère
un genêt
le houx
un iris
le laurier
le lilas
un marronnier
un massif
le muguet
un peuplier
un platane
un pommier
le sarrasin
un saule-pleureur
le seigle
un trille

Le climat tempéré, sa flore, des **adjectifs** et des **expressions** pour la caractériser

à profusion
automnal, automnale
épineux, épineuse
fané, fanée
feuillu, feuillue
fruitier, fruitière
hâtif, hâtive
fleuri, fleurie
odorant, odorante
odoriférant, odoriférante
opaque
persistant, persistante
printanier, printanière
résineux, résineuse
rustique
vivace

Le climat tempéré, sa flore, des **verbes** pour en parler

border
bourgeonner
éclore
s'épanouir
s'étaler
se fermer
se flétrir
fructifier
germer
grimper
mûrir
orner
parfumer
proliférer
tapisser

Le climat tempéré, sa faune, des **noms** pour la nommer

un aigle
une alouette
une bernache
un bison
un castor
un cerf
un chamois
un chevreuil
une chouette
un coyote
un écureuil
un faucon
un furet
un geai bleu
un goéland
une hermine
un héron
une hirondelle
un loup
une loutre
un merle
une mésange
une moufette
un mouflon
un orignal
un ours
une perdrix
un porc-épic
un raton laveur
un renard
un rossignol
un saint-bernard
une salamandre
un sanglier
un saumon
une sittelle

Le climat tempéré, sa faune, des **adjectifs** pour la caractériser

agile
agressif, agressive
aquatique
captif, captive
carnivore
curieux, curieuse
dompté, domptée
écailleux, écailleuse
granivore
grégaire
grimpeur, grimpeuse
hibernant, hibernante
insectivore
jaseur
migrateur, migratrice
nocturne
querelleur, querelleuse
sauvage
solitaire
varié, variée
vif, vive

Le climat tempéré, sa faune, des **verbes** pour en parler

s'accoupler
chasser
dévorer
effaroucher
frétiller
grimper
se hérisser
hiberner
hiverner
mettre bas
migrer
muer
nicher
nidifier
piéger
ronger
sauter
trottiner

Le climat tempéré, sa flore et sa faune, des **images évocatrices**

Les trois cyprès de mon jardin montent la garde.
Le chant des pinsons nous parvient à travers l'épais feuillage des érables voisins.

Parfois, faire entendre des bruits, faire respirer des odeurs à l'aide de mots ou d'expressions évocatrices, sont des moyens intéressants de prolonger l'atmosphère de certains lieux.

LA SITUATION INITIALE

Pour faire ENTENDRE et faire SENTIR...

Les cris d'animaux
le braiment de l'âne
le bramement du chevreuil
le coassement de la grenouille
le couinement du lièvre
le croassement de la corneille
le grognement de l'ours
le hennissement du cheval
le meuglement de la vache
le miaulement du chat
le pépiement des moineaux

Les odeurs
l'odeur alliacée de la ciboulette
l'odeur balsamique de la menthe
l'odeur discrète de la violette
l'odeur entêtante de la pivoine
l'odeur fauve de l'ours
l'odeur fétide du purin
l'odeur melliflue du trèfle
l'odeur pénétrante de la moufette
l'odeur résineuse des épinettes
l'odeur sucrée de l'eau d'érable

Le climat froid, ses habitations, son environnement et sa culture

Mindosh n'avait jamais su choisir entre les longues attentes à la chasse, la cabane rudimentaire que lui proposait son père, le silence dévastateur du Nord [...] le dur labeur qui arrache jour après jour un peu de nourriture à la forêt ou aux lacs...

Noël Audet

Le climat froid, ses habitations, son environnement, sa culture, des **noms** et des **expressions** pour les nommer

Les habitations
un abri
un bivouac
une hutte de tourbe
un igloo
une maison en bois de grève
une maison en rondins
un refuge en montagne
une tente de peau de phoque

L'environnement
un attelage
une banquise
un glacier
les Inuit
le kayak
le soleil de minuit
la taïga
la toundra

La culture
un anorak
un bannock
un harpon
une motoneige
un parka
des raquettes
une sculpture de glace
une toque de fourrure

Le climat froid, ses habitations, son environnement, sa culture, des **adjectifs** pour les caractériser

Les habitations
camouflé, camouflée
dissimulé, dissimulée
exigu, exiguë
fragile
improvisé, improvisée
insalubre
polaire
rudimentaire
salutaire
sommaire

L'environnement
arctique
aride
boréal, boréale
hostile
impraticable
infini, infinie
inhospitalier, inhospitalière
neigeux, neigeuse
rebelle
sibérien, sibérienne

La culture
ancestral, ancestrale
artisanal, artisanale
ingénieux, ingénieuse
intrigant, intrigante
inuit
méconnu, méconnue
menacé, menacée
nordique
rustique
typique

LA SITUATION INITIALE

Le climat froid, ses habitations, son environnement, sa culture, des **verbes** et des **expressions** pour en parler

Les habitations	L'environnement	La culture
s'abriter	s'égarer	chasser le phoque
construire un igloo	s'emmitoufler	fabriquer le kayak
dresser une tente	engourdir	harponner une baleine
hiverner	frigorifier	pêcher l'omble arctique
isoler	s'orienter	sculpter la stéatite
se protéger	transir	travailler l'ivoire

Le climat froid, ses habitations, son environnement, sa culture, des **images évocatrices**

La neige, voile vaporeux, danse et tourbillonne dans le vent.
Les igloos, poings géants refermés, défient la nature hostile.
Il se sentit comme une momie dans un sarcophage blanc.

Le climat froid, sa flore et sa faune

[...] le soleil qu'on croyait paralysé chauffe la terre par plaques, et la mousse de caribou, les tourbières spongieuses chuintent sous le pied, les petites épinettes noires brandissent leurs branches tordues comme des poings mal fermés vers le ciel, les caribous reprennent du galop, toutes les bêtes sillonnent la peau-taïga comme des éclairs.

Noël Audet

Le climat froid, sa flore, des **noms** et des **expressions** pour la nommer

un bouleau nain
une épinette blanche
une épinette noire
du lichen
du mouron
de la mousse
un pin gris
un sapin baumier
de la sphaigne
du thé du Labrador

Le climat froid, sa flore, des **adjectifs** pour la caractériser

arctique
boréal, boréale
clairsemé, clairsemée
maigre
nain, naine
nivéal, nivéale
rabougri, rabougrie
rare
résineux, résineuse
résistant, résistante

Le climat froid, sa flore, des **verbes** pour en parler

abriter de petits animaux
croître lentement
percer la neige
peupler la zone polaire
se rabougrir
se raréfier
s'agripper aux rochers
tapisser le sol

Le climat froid, sa faune, des **noms** pour la nommer

une baleine
un béluga
un bruant des neiges
un caribou
un crabe des neiges
un eider
un grizzli
un husky
un lemming
un manchot
un morse
un narval
de l'omble
un ours blanc
un phoque
un renne
un requin du Grœnland
une zibeline

Le climat froid, sa faune, des **adjectifs** pour la caractériser

amphibie
arctique
carnivore
hibernant, hibernante
hivernant, hivernante
léthargique
marin, marine
migrateur, migratrice
omnivore
piscivore
polaire
terrestre

Le climat froid, sa faune, des **verbes** et des **expressions** pour en parler

s'abriter dans un arbre
s'adapter au climat
chasser le lemming
creuser un abri
se creuser une tanière
se déplacer en bandes
fouiller dans la neige
gratter la neige
hiberner
hiverner
migrer vers le sud
se nourrir de poisson

Le climat froid, sa flore et sa faune, des **images évocatrices**

Des langues de glace menacent les kayaks.
Les manchots en smoking noir se dandinent sur le glacier.

Les grandes étendues de neige et de glace nous paraissent enveloppées de silence. Et pourtant, on y entend quand même quelques bruits.

Les bruits

le chuintement du vent
le craquement des glaces
le hurlement des chiens
la plainte du vent
le souffle des baleines
le vagissement des loups marins

Et si l'aventure avait des ailes ?
L'air, la mer ou la montagne sont des lieux propices au mystère et à l'aventure. Le vocabulaire qui traite de ces réalités est assez abondant pour qu'on s'y attarde.

L'AIR, LA MER, LA MONTAGNE

Je marchai longtemps sur la plage, très loin, apaisée par le rythme des vagues, [...] par le vent sur mon visage et les embruns qui mouillaient mes cheveux.

Anne Lindbergh

L'air, des **noms** et des **expressions** qui s'y rattachent

un aéronef
un aéroport
l'atmosphère
un avion
un ballon
la bise
une bouffée d'air pur
une bourrasque
une brise
un courant d'air
un cyclone
un dirigeable
une éolienne
une girouette
un hélicoptère
un hydravion
une montgolfière
un moulin à vent
une navette spatiale
le nordet
le noroît
de l'oxygène
une rafale
la tourmente
une trombe
un typhon
du vent

L'air, des **adjectifs** pour le caractériser

aérien, aérienne
ambiant, ambiante
atmosphérique
céleste
cinglant, cinglante
desséchant, desséchante
frais, fraîche
humide
impétueux, impétueuse
léger, légère
libre
piquant, piquante
pur, pure
revigorant, revigorante
sain, saine
sec, sèche
tonifiant, tonifiante
venteux, venteuse
vicié, viciée
violent, violente
vivifiant, vivifiante

L'air, des **verbes** et des **expressions** pour en parler

s'apaiser
balayer les feuilles
se calmer
chasser les moustiques
cingler le visage
dessécher la plaine
fendre l'air
fouetter les arbres
gémir
humer l'air
insuffler
se lever
louvoyer
mordre le visage
mugir
planer
rafraîchir le temps
renverser les arbres
siffler
souffler
soulever la poussière
tourbillonner
venter
voler

La mer, des **noms** et des **expressions** qui s'y rattachent

des algues
une anse
un archipel
une baie
un banc de pêche
une barque
un bras de mer
un caboteur
un cargo
une chaloupe
un chalutier
le clapotis
un coquillage
du corail
la côte
une crique
une déferlante
un delta
une digue
une dune
un écueil
l'écume
les embruns
une épave
un estuaire
une étoile de mer
les flots
le flux
un golfe
la grève
un havre
la houle
le jusant
une lagune
une lame
le large
le littoral
le mal de mer
la marée
une marina
un morutier
l'océan
l'onde
un oursin

→

un paquebot
un phare
une plage
un port de mer
un port fluvial
un quai
une rade
un raz de marée
un récif
le reflux
des remous
le ressac
la rive
une tempête
un tourbillon
une vague
un vaisseau
du varech
un voilier
un yacht

La mer, des **adjectifs** pour la caractériser

agité, agitée
azuré, azurée
bleu, bleue
bordier, bordière
calme
continental, continentale
déchaîné, déchaînée
déferlant, déferlante
descendant, descendante
étale
fermé, fermée
houleux, houleuse
intérieur, intérieure
limpide
lisse
maritime
montant, montante
nautique
océanique
pélagique
ridé, ridée
trouble
tumultueux, tumultueuse
verdâtre

La mer, des **verbes** et des **expressions** pour en parler

s'agiter
s'apaiser
baisser
ballotter les bateaux
battre la côte
bouillonner
se briser
calmer
clapoter
se creuser
se déchaîner
déferler
descendre
écumer
engloutir
friser
se gonfler
marner
mettre à la mer
monter
moutonner
prendre la mer
se retirer
se rider

La montagne, des **noms** et des **expressions** qui s'y rattachent

l'adret
une aiguille
une avalanche
un belvédère
une brèche
une chaîne de montagnes
une cime
un col
une cordillère
une crête
une crevasse
un deltaplane
un éboulis
une edelweiss
un escarpement
un funiculaire
un glacier
une gorge
un gouffre
un massif
un névé
une paroi
un pic
un piton
un ravin
le relief
une sierra
l'ubac
un versant
un volcan

La montagne, des **adjectifs** pour la caractériser

abrupt, abrupte
accidenté, accidentée
alpestre
alpin, alpine
altier, altière
andin, andine
arrondi, arrondie
chauve
culminant, culminante
élevé, élevée
enneigé, enneigée
escarpé, escarpée
éternel, éternelle
exposé, exposée
himalayen, himalayenne
immense
infranchissable
montagneux, montagneuse
pointu, pointue
raide
rocheux, rocheuse
sacré, sacrée
vertigineux, vertigineuse
volcanique

La montagne, des **verbes** et des **expressions** pour en parler

ascensionner
atteindre le sommet
couronner
se couvrir de neige
culminer
dégringoler
dévaler
dominer
se dresser
s'élever
s'ériger
escalader
estiver
excursionner
faire l'ascension de
gravir
gronder
se hisser
se perdre dans les nuages
pointer
se profiler
skier en montagne
surplomber
transhumer (un troupeau)

L'air, la mer, la montagne, des **images évocatrices**

Le chant antique, solennel et profond de la mer apaise l'âme.
Il dévalait les flancs escarpés de la montagne.
Les ballons blancs, porteurs de messages, montaient dans l'azur accompagnés de rires d'enfants.

Si le récit qu'on invente, nécessite un «ailleurs» moins réaliste que la campagne ou la ville de notre pays, on peut alors amener le lecteur dans des lieux réels mais plus exotiques.

DES AILLEURS EXOTIQUES

Et plus loin encore, et par delà la mer, sur d'autres rebords de l'immensité, l'Arabie, la Morée, l'Inde, les deux Amériques.

Marguerite Yourcenar

la Cité interdite
le désert de Gobi
la forêt de Brocéliande
l'île de Pâques
le loch Ness
Machu Picchu
le mont Athos
le Mont-Saint-Michel
l'Opéra de Paris
le pont des Soupirs (à Venise)
les pyramides de Gizeh
le Tadj Mahall
Le tombeau de Toutankhamon
la vallée des Rois (en Égypte)

Sur une carte géographique, les lieux sont indiqués par des points ; dans un récit, les adverbes de lieux et certaines expressions jouent les points de repère. Ils précisent l'itinéraire suivi par le personnage et servent de «guide touristique» au lecteur.

Au milieu du chenal, ils avaient plongé, tous les deux, et nagé jusqu'à la plus proche anse de la réserve [...] Michel était rentré à pied, à travers la pinède...

Robert Lalonde

ADVERBES ET AUTRES EXPRESSIONS DÉSIGNANT LE LIEU

à cet endroit
à côté de
à l'arrière de
à la frontière de
à la jonction de
à partir de
à travers
ailleurs
alentour
au devant de
au milieu de
au travers de
au-delà de
au-dessous de
au-dessus de
auprès de
autour de
aux abords de
aux alentours de
aux environs de
çà et là
d'entre
dans le voisinage
dans les parages
dehors
derrière
dessous
dessus
devant
du côté de
en arrière de
en bas de
en ce lieu
en face de
en haut de
en périphérie
face à
hors de
ici
jusqu'à
là-bas
le long de
loin
nulle part
par-ci par-là
par-delà
parmi
partout
près
proche
quelque part
vis-à-vis de

LA SITUATION INITIALE

IL ÉTAIT UNE FOIS... LE PERSONNAGE

Tout récit s'articule autour du personnage principal. Héros sans peur et sans reproche ou héros du dimanche, sans lui, point d'histoire. Il importe donc d'en faire un portrait assez détaillé pour que le lecteur puisse facilement l'imaginer. À cette fin, il faut mettre en évidence ses principales caractéristiques physiques et physiologiques.

Pour que le lecteur puisse facilement se représenter un personnage, il faut d'abord, bien sûr, donner un aperçu de son âge, de sa physionomie et de ses principales caractéristiques physiques.

LE PERSONNAGE, SES CARACTÉRISTIQUES PHYSIQUES

Le personnage, son âge

André Therrien, malgré ses neuf ans [...], était un petit garçon tout maigre et souffreteux, à la voix et au nez pointus, qui avait les larmes tellement faciles que ses compagnons l'avaient surnommé Champelure.

Yves Beauchemin

L'enfant, des **noms** pour le nommer

l'aîné, l'aînée
un bambin
un bébé
le benjamin, la benjamine
le cadet, la cadette
un chérubin
un écolier, une écolière
une fillette
un galopin
un gamin, une gamine
un garçonnet
un garnement
un gavroche
la marmaille
un marmot
un nourrisson
un petit, une petite
un poupon

L'enfant, des **adjectifs** pour le caractériser

affectueux, affectueuse
agile
agité, agitée
bruyant, bruyante
candide
capricieux, capricieuse
chétif, chétive
coquin, coquine
curieux, curieuse
débrouillard, débrouillarde
déluré, délurée
enjoué, enjouée
espiègle
éveillé, éveillée
frêle
frondeur, frondeuse
gâté, gâtée
imaginatif, imaginative
indiscipliné, indisciplinée
ingénu, ingénue
insupportable
intrépide
joufflu, joufflue
malicieux, malicieuse
naïf, naïve
narquois, narquoise
obéissant, obéissante
pâle
potelé, potelée
précoce
prodige
puéril, puérile
remuant, remuante
turbulent, turbulente
têtu, têtue
vif, vive

L'enfant, des **verbes** pour en parler

s'agiter
s'amuser
apprendre
balbutier
bouder
se chamailler
découvrir
déguerpir
s'émerveiller
s'esclaffer
s'étonner
expérimenter
fouiner
gambader
gazouiller
imiter
pleurnicher
zézayer

L'adolescent, des **noms** pour le nommer

un ado, une ado
un apollon
un apprenti, une apprentie
un blanc-bec
une couventine
une demoiselle
un élève, une élève
un éphèbe
un étudiant, une étudiante
un freluquet
un ingénu, une ingénue
un jeune, une jeune
un jeunot, une jeunotte
un novice, une novice
une nymphe
un punk
des tourtereaux
un voyou

L'adolescent, des **adjectifs** pour le caractériser

agressif, agressive
arrogant, arrogante
bouillant, bouillante
catégorique
dépressif, dépressive
désordonné, désordonnée
déterminé, déterminée
enthousiaste
idéaliste
impétueux, impétueuse
indécis, indécise
indolent, indolente
ingrat, ingrate
irascible
perfectionniste
querelleur, querelleuse
rebelle
renfermé, renfermée
rêveur, rêveuse
révolté, révoltée
romantique
sportif, sportive
susceptible
taciturne
talentueux, talentueuse
téméraire
timide

L'adolescent, des **verbes** pour en parler

admirer
s'affirmer
conquérir
se décourager
s'émanciper
s'enthousiasmer
explorer
se heurter à
s'initier à
méditer
s'obstiner
s'opposer à
se passionner
se perfectionner
protester
se quereller
se rebeller
rêver

L'adulte, des **noms** pour le nommer

un aïeul, une aïeule
un ancêtre, une ancêtre
un (bon) bougre
une canaille
une chipie
une commère
une crapule
une dame
un doyen, une doyenne
un (joyeux) drille
un escroc
une fée
une (brave) femme
un freluquet
une fripouille
un (solide) gaillard
un gentleman
un (pâle) gredin
un hercule
un (pauvre) hère
un individu

→

un larron
un luron
un malfaiteur
une matrone
une mégère
une mijaurée
une muse
un, une octogénaire
un particulier
une pimbêche
un, une quadragénaire
un quidam
un, une quinquagénaire
un retraité, une retraitée
un, une septuagénaire
un, une sexagénaire
un (triste) sire
un (mauvais) sujet
un type
un vagabond
un vaurien
un veinard, une veinarde
une vénus
un vieillard

L'adulte, des **adjectifs** pour le caractériser

affable
alerte
ardent, ardente
audacieux, audacieuse
autoritaire
avisé, avisée
bienveillant, bienveillante
borné, bornée
bourru, bourrue
corpulent, corpulente
courtois, courtoise
entreprenant, entreprenante
excentrique
flegmatique
fluet, fluette
fringant, fringante
hargneux, hargneuse
ombrageux, ombrageuse
passionné, passionnée
placide
rancunier, rancunière
réfléchi, réfléchie
robuste
sénile
serein, sereine
vénérable
vigoureux, vigoureuse

L'adulte, des **verbes** et des **expressions** pour en parler

accuser son âge
avancer en âge
concerter
concilier
diriger
éduquer
enseigner
exploiter
féliciter
fonder un foyer
gronder
guider
inventer
se marier
nuancer
prospérer
récompenser
réprimander

Le personnage, son âge, des **images évocatrices**

Il avait la fraîche candeur et la touchante ingénuité des enfants élevés dans une famille paisible et sans histoires.
Leur fille avait atteint l'âge tendre, celui des espoirs insensés et des rêves les plus fous.
Son visage ridé et son dos voûté reflétaient l'accablement des ans.

Le personnage, sa physionomie

Le visage, des **noms** qui s'y rattachent

un air
une binette
une expression
une face
un faciès
une figure
des fossettes
une frimousse
le front
une grimace
le hâle
des joues
une mimique
une mine
un minois
la physionomie
des pommettes
le portrait
un profil
des rides
des simagrées
le teint
un tic
des traits

LA SITUATION INITIALE

Le visage, des **adjectifs** et des **expressions** pour le caractériser

anguleux, anguleuse
avenant, avenante
basané, basanée
blafard, blafarde
blême
boudeur, boudeuse
bouffi, bouffie
bronzé, bronzée
chafouin, chafouine
chagrin, chagrine
chiffonné, chiffonnée
cireux, cireuse
couperosé, couperosée
crispé, crispée
cuivré, cuivrée
décharné, décharnée
décomposé, décomposée
défait, défaite
détendu, détendue
digne
émacié, émaciée
empourpré, empourprée
expressif, expressive
fané, fanée
fiévreux, fiévreuse
figure de carême
fin, fine
flasque
hâlé, hâlée
hautain, hautaine
hermétique
immobile
impassible
impénétrable
joufflu, joufflue
livide
maussade
mécontent, mécontente
méditatif, méditative
mélancolique
mobile
noble
osseux, osseuse
pâle
parcheminé, parcheminée
plissé, plissée
poupin, poupine
proéminent, proéminente
radieux, radieuse
raffiné, raffinée
ravagé, ravagée
ravi, ravie
reposé, reposée
ridé, ridée
rubicond, rubiconde
rude
serein
simiesque
songeur, songeuse
souriant, souriante
sournois, sournoise
tanné, tannée
terne
terreux, terreuse
tiré, tirée
vanné, vannée

Le visage, des **verbes** et des **expressions** pour en parler

s'allonger
s'assombrir
se cacher le visage
changer de visage
se composer un visage
contempler un visage
se contracter
couvrir le visage
se crisper le visage
se décomposer
s'éclairer
gonfler les joues
s'illuminer
maquiller son visage
se mirer
montrer son visage
pâlir
se plisser
se protéger le visage
se rembrunir
rougir
scruter un visage
se ternir
se voiler le visage

Les yeux, (l'œil), des **noms** et des **expressions** qui s'y rattachent

une arcade sourcilière
la cécité
un cillement
des cils
un clignement
un coup d'œil
l'iris
des larmes
des lunettes
la myopie
une œillade
les orbites
les paupières
des pleurs
un plissement
les prunelles
les pupilles
le regard
les sourcils
le strabisme
la vue

Les yeux, des **adjectifs** pour les caractériser

bridé, bridée
brillant, brillante
brouillé, brouillée
cerné, cernée
dilaté, dilatée
doux, douce
dur, dure
écarquillé, écarquillée
effaré, effarée
endormi, endormie
enfoncé, enfoncée
étincelant, étincelante
étonné, étonnée
exorbité, exorbitée
fixe
froid, froide
fureteur, fureteuse
glauque
globuleux, globuleuse
hagard, hagarde
indiscret, indiscrète
inquisiteur, inquisitrice
lourd, lourde (paupières)
luisant, luisante
malicieux, malicieuse
morne
papillotant, papillotante
perçant, perçante
pers
pétillant, pétillante
proéminent, proéminente
révulsé, révulsée
rieur, rieuse
rond, ronde
saillant, saillante
terne
vairon
vif, vive
vitreux, vitreuse

Le regard, des **adjectifs** pour le caractériser

affectueux, affectueuse
affolé, affolée
angoissé, angoissée
anxieux, anxieuse
arrogant, arrogante
atone
câlin, câline
candide
clair, claire
courroucé, courroucée
désespéré, désespérée
déterminé, déterminée
éteint, éteinte
farouche
féroce
foudroyant, foudroyante
franc, franche
fulgurant, fulgurante
furibond, furibonde
fuyant, fuyante
haineux, haineuse
hébété, hébétée
hostile
hypocrite
insistant, insistante
langoureux, langoureuse
languissant, languissante
lascif, lascive
lucide
menaçant, menaçante
moqueur, moqueuse
scrutateur, scrutatrice
sinistre
sombre
timide
torve
vague
vide
vif, vive

Les yeux, des **verbes** et des **expressions** pour en parler

arrondir les yeux
avoir l'oeil
baisser les yeux
braquer les yeux sur
briller
charmer
ciller
cligner
clignoter des yeux
crever les yeux
dérober aux yeux
détourner les yeux
dévorer des yeux
écarquiller les yeux
étinceler
faire les yeux doux
fermer les yeux
ne pas fermer l'œil
fixer
fureter
implorer des yeux
jeter un coup d'œil sur
lever les yeux
manger des yeux
ouvrir l'œil
papilloter
plisser les yeux
poser ses yeux sur
promener les yeux
regarder en coin
relever les yeux
rouler des yeux
tourner de l'oeil
tourner les yeux vers
suivre de l'oeil
s'user les yeux

Le regard, des **verbes** et des **expressions** pour en parler

s'arrêter sur
blesser le regard
briller
caresser du regard
couvrir du regard
darder son regard sur
se dérober au regard de
détourner le regard
embrasser du regard
étinceler
explorer
flamboyer
foudroyer du regard
fouiller du regard
glisser sur les choses
interroger du regard
jeter un regard sur
lancer des éclairs
menacer du regard
offenser le regard
parcourir du regard
se porter sur
scruter
suivre du regard

La bouche, des **noms** qui s'y rattachent

un bec
une dentition
des dents
une denture
des gencives
une gueule
une langue
une mâchoire
un menton
une moustache
un rictus
un sourire

La bouche, des **adjectifs** pour la caractériser

contracté, contractée
cousu, cousue
édenté, édentée
fin, fine
frais, fraîche
gourmand, gourmande
immobile
large
malodorant, malodorante
mince
muet, muette
pâteux, pâteuse
sec, sèche
sensuel, sensuelle
vermeil, vermeille

La bouche, des **verbes** et des **expressions** pour en parler

bayer aux corneilles
se clore
s'embrasser sur la bouche
enlever les mots de la bouche
faire la fine bouche
rester bouche bée
rincer la bouche
rire
sceller
sourire

Les lèvres, des **noms** et des **expressions** pour les nommer

des babines
un bec-de-lièvre
du bout des lèvres
les commissures
une lippe
une moue

Les lèvres, des **adjectifs** pour les caractériser

bleu, bleue
bleui, bleuie
charnu, charnue
décoloré, décolorée
(bien) dessiné, dessinée
épais, épaisse
fendu, fendue
gercé, gercée
mince
(bien) ourlé, ourlée
pâle
pendant, pendante
pincé, pincée
purpurin, purpurine
retroussé, retroussée
sensuel, sensuelle
vermeil, vermeille
vermillon

LA SITUATION INITIALE

Les lèvres, des **verbes** et des **expressions** pour en parler

s'allonger
avancer les lèvres
desserrer les lèvres
se lécher les lèvres
se mordre les lèvres
se pincer les lèvres
poser ses lèvres sur
se pourlécher
remuer les lèvres
serrer les lèvres

La voix et le menton sont aussi des caractéristiques intéressantes chez certains personnages. Toutefois, ces mots n'ayant à peu près pas de synonymes intéressants, attardons-nous plutôt à les caractériser par des adjectifs qui pourront mieux servir une description vivante.

Le menton, des **adjectifs** et des **expressions** pour le caractériser

avancé, avancée
carré, carrée
effacé, effacée
fuyant, fuyante
en galoche
long, longue
pointu, pointue
proéminent, proéminente
volontaire

La voix, des **adjectifs** pour la caractériser

aigrelet, aigrelette
aigu, aiguë
ample
autoritaire
caressant, caressante
cassant, cassante
caverneux, caverneuse
chantant, chantante
chevrotant, chevrotante
clair, claire
criard, criarde
cristallin, cristalline
de crécelle
doucereux, doucereuse
doux, douce
ému, émue
enroué, enrouée
éraillé, éraillée
éteint, éteinte
étouffé, étouffée
de fausset
ferme
feutré, feutrée
fluet, fluette
gras, grasse
grasseyant, grasseyante
grave
grêle
guttural, gutturale
impérieux, impérieuse
ironique
léger, légère
lugubre
menu, menue
mielleux, mielleuse
monotone
mordant, mordante
musical, musicale
nasillard, nasillarde
onctueux, onctueuse
pâteux, pâteuse
pathétique
placé, placée
plaintif, plaintive
puissant, puissante
railleur, railleuse
râpeux, râpeuse
rauque
résonnant, résonnante
retentissant, retentissante
rocailleux, rocailleuse
de rogomme
sarcastique
sec, sèche
sépulcral, sépulcrale
sonore
sourd, sourde
de stentor
strident, stridente
suppliant, suppliante
timbré, timbrée
tonitruant, tonitruante
tremblant, tremblante
vibrant, vibrante
voilé, voilée
voluptueux, voluptueuse

Le personnage, sa physionomie, des **images évocatrices**

À la moindre contrariété, son visage se rembrunissait.
Ses yeux malicieux le dénonçaient plus sûrement qu'un aveu.
Soudain, les commissures de ses lèvres ondulèrent et un éclat de rire fendit l'air.
Des yeux à fleur de tête, un front barré de rides lui conféraient un air sévère.

Le personnage, ses autres caractéristiques physiques

Et marchant à ses côtés, et belle, et sculpturale, [...] et chargée comme une sultane de bijoux, de trop de cheveux sombres, longs et bouclés, d'yeux noirs brûlants et de seins glorieux, Jeannette Gendron...

Françoise Mallet-Joris

Les cheveux, des **noms** pour les nommer

des accroche-cœurs	une crinière	une mèche	une raie
des boucles	un épi	une moumoute	une tignasse
des boudins	des favoris	une natte	une toison
une brosse	une frange	des ondulations	une tonsure
la calvitie	des friselis	des pattes	une torsade
une chevelure	des frisons	une perruque	une touffe
un chignon	des guiches	un postiche	un toupet
une couette	une houppe	une queue de cheval	une tresse

Les cheveux, des **adjectifs** et des **expressions** pour les caractériser

argenté, argentée	clairsemé, clairsemée	frisé	raide
auburn	cotonné, cotonnée	frisotté, frisottée	rare
en bataille	court	gominé, gominée	ras, rase
blond, blonde	crépu, crépue	gras, grasse	rebelle
bouclé, bouclée	cuivré, cuivrée	hérissé, hérissée	roux, rousse
brillant, brillante	dru, drue	hirsute	sec, sèche
en broussaille	ébouriffé, ébouriffée	lisse	souple
carotte	emmêlé, emmêlée	natté	soyeux, soyeuse
cendré, cendrée	épars, éparse	ondulé, ondulée	terne
châtain	fin, fine	plat, plate	touffu, touffue
chenu, chenue	fourni, fournie	platine	tressé

Les cheveux, des **verbes** et des **expressions** pour en parler

boucler	friser	porter les cheveux longs
brosser ses cheveux	se hérisser	relever ses cheveux
coiffer ses cheveux	se laver les cheveux	soigner ses cheveux
couper ses cheveux	lisser ses cheveux	teindre ses cheveux
crêper ses cheveux	se mêler	tondre ses cheveux
se dresser sur la tête	natter ses cheveux	tresser ses cheveux
flotter au vent	pommader ses cheveux	vaguer ses cheveux

Le nez, des **noms** pour le nommer

un appendice nasal
un cap
une falaise
un flair
un groin
un museau
des narines
l'organe de l'odorat
un pic
un pif
une trompe
une truffe

Le nez, des **adjectifs** pour le caractériser

aquilin
busqué, busquée
camus, camuse
crochu, crochue
droit, droite
écrasé, écrasée
effilé, effilée
épaté, épatée
grec, grecque
pointu, pointue
recourbé, recourbée
retroussé, retroussée
saillant, saillante
en trompette
violacé, violacée

Le nez, des **verbes** et des **expressions** pour en parler

aspirer
se boucher le nez
s'enrhumer
flairer
humer
inhaler
se moucher le nez
nasiller
parler du nez
se pincer le nez
renifler
sentir

La taille, des **noms** qui s'y rattachent

la cambrure
une carrure
une corpulence
la grandeur
la maigreur
des mensurations
une poitrine
un port
des reins
une silhouette
une stature
un torse

La taille, des **adjectifs** pour la caractériser

cambré, cambrée
élancé, élancée
épais, épaisse
faible
fin, fine
fluet, fluette
frêle
gigantesque
grand, grande
de guêpe
haut, haute
large
normale
petit, petite
réduit, réduite
souple
svelte
voûté, voûtée

La taille, des **verbes** et des **expressions** pour en parler

s'allonger
s'assouplir
se baisser
bomber le torse
se cambrer
courber le dos
se dessiner
s'élargir
s'étirer
se hausser
se redresser de toute sa taille
redresser la taille

Les oreilles, des **noms** et des **expressions** qui s'y rattachent

le conduit auditif	le marteau	l'ouïe
l'enclume	l'organe de l'audition	le pavillon
le lobe	l'osselet	le tympan

Les oreilles, des **adjectifs** pour les caractériser

attentif, attentive	distrait, distraite	juste
en chou-fleur	dur, dure	mou, molle
décollé, décollée	fin, fine	pointu, pointue
délicat, délicate	indiscret, indiscrète	pudique

Les oreilles, des **verbes** et des **expressions** pour en parler

se boucher les oreilles	dresser l'oreille	murmurer à l'oreille
casser les oreilles	écorcher les oreilles	ouvrir les oreilles
charmer l'oreille	faire la sourde oreille	prêter une oreille attentive
déchirer les oreilles	glisser à l'oreille	tendre l'oreille

Le personnage, ses autres caractéristiques physiques, des **images évocatrices**

Comme une écolière sage, j'ai des tresses réunies au sommet de la tête.
Ses cheveux dressés sur la tête comme la crête d'un perroquet le faisaient remarquer partout où il passait.
Je le connais bien ; un frémissement des narines est toujours précurseur d'une grande colère.
Elle était souple et gracile comme une ballerine.

Une façon très imagée de décrire un personnage, c'est de faire des rapprochements avec des animaux ou des réalités connues. Certaines métaphores sont pittoresques et efficaces.

Le personnage, ses caractéristiques physiques, des **métaphores** pittoresques pour le décrire

un cou de girafe (très long)	une peau de pêche (très douce)
un cou de taureau (très épais)	une taille de guêpe (très fine)
une démarche d'éléphant (lourde)	une tignasse de lion (abondante)
une démarche de canard (maladroite)	une voix de polichinelle (aiguë et nasillarde)
des dents de cheval (avancées)	une voix de sirène (charmeuse)
des dents de castor (avancées)	des yeux d'aigle (perçants)
des doigts de fée (très habiles)	des yeux de biche (très doux)
des jambes de coq (maigres)	des yeux de chat (qui voient la nuit)
des jambes de gazelle (longues et fines)	des yeux de lynx (vifs)

LA SITUATION INITIALE

On peut fermer les yeux et imaginer facilement un personnage aux cheveux blonds et aux yeux noisette, mais cela ne nous dit rien de sa personnalité. Il faut donc mettre en évidence les qualités et les défauts du personnage.

LE PERSONNAGE, SES CARACTÉRISTIQUES PSYCHOLOGIQUES

Le personnage, ses qualités et ses défauts

Généreux, parfois paresseux, se passionnant pour tout, n'approfondissant rien, se faisant préparer des discours qui semblaient jaillir de ses entrailles [...] Mirabeau fut le seul grand homme de l'Assemblée.

Madelin

Le personnage, ses qualités, des **noms** et des **expressions** pour les nommer

l'adresse
l'affabilité
l'agilité
l'altruisme
l'amabilité
l'ardeur
l'assiduité
l'assurance
l'audace
l'authenticité
la bienveillance
la bonté
la bravoure
la charité
le charme
la civilité
la clairvoyance
la clémence
la constance
la cordialité
le courage
la courtoisie
la débrouillardise
la délicatesse
la détermination
le dévouement
la dignité
la diligence
le discernement
la discrétion
la distinction
la douceur
la droiture
le dynamisme
l'élégance
l'éloquence
l'enthousiasme
l'entrain
l'équité
l'exactitude
la fermeté d'âme
la ferveur
la fidélité
la fierté
la finesse
la force morale
la franchise
la gaieté
la galanterie
la générosité
la gentillesse
l'habileté
la hardiesse
l'honnêteté
l'humilité
l'indulgence
l'ingéniosité
l'intégrité
l'intelligence
la jovialité
le jugement
la loyauté
la lucidité
la magnanimité
la mansuétude
la maturité
la minutie
la modération
la modestie
la patience
la persévérance
la perspicacité
la placidité
la ponctualité
la pondération
la prestance
la prévenance
la prévoyance
la probité
la prudence
la pureté
la rectitude
la sagacité
la sagesse
le savoir-vivre
la serviabilité
la simplicité

→

la sincérité
la sobriété
la souplesse
la subtilité
le tact
la ténacité
la tendresse
la tolérance
la tranquillité
la vigilance
la volonté
le zèle

Le personnage, ses qualités, des **adjectifs** pour le caractériser

affable
affectueux, affectueuse
altruiste
amène
amical, amicale
ardent, ardente
assidu, assidue
attentif, attentive
attentionné, attentionnée
authentique
avenant, avenante
bienveillant, bienveillante
brave
calme
chaleureux, chaleureuse
charitable
charmant, charmante
chevaleresque
clairvoyant, clairvoyante
clément, clémente
compréhensif, compréhensive
conciliant, conciliante
consciencieux, consciencieuse
constant, constante
cordial, cordiale
courageux, courageuse
courtois, courtoise
débrouillard, débrouillarde
dégourdi, dégourdie
dévoué, dévouée
digne
diligent, diligente
discret, discrète
distingué, distinguée
doux, douce
droit, droite
dynamique
équitable
empressé, empressée
fécond, féconde
fervent, fervente
fidèle
fin, fine
franc, franche
gai, gaie
galant, galante
généreux, généreuse
gentil, gentille
honnête
humble
indulgent, indulgente
ingénieux, ingénieuse
inoffensif, inoffensive
intègre
intelligent, intelligente
jovial, joviale
juste
logique
loyal, loyale
lucide
magnanime
méticuleux, méticuleuse
minutieux, minutieuse
modeste
moral, morale
naturel, naturelle
noble
optimiste
pacifique
paisible
patient, patiente
persévérant, persévérante
perspicace
poli, polie
pondéré, pondérée
prévenant, prévenante
prévoyant, prévoyante
probe
prolifique
prudent, prudente
réfléchi, réfléchie
sage
savant, savante
serein, sereine
serviable
simple
sincère
sobre
soigné, soignée
souple
spirituel, spirituelle
spontané, spontanée
svelte
tendre
tolérant, tolérante
travailleur, travailleuse
vaillant, vaillante
valeureux, valeureuse
vertueux, vertueuse

Le personnage, ses qualités, des **verbes** et des **expressions** pour en parler

admirer
aider
aimer
apprécier
s'attendrir
calmer
compatir à
comprendre
concilier
consoler
se dévouer
discerner
donner
éclairer
s'effacer
s'empresser

s'épanouir
encourager
endurer
s'engager
estimer
féliciter
instruire
louanger
modérer
nuancer
pacifier
pardonner
patienter
persévérer
pondérer
prendre soin de
prodiguer
purifier
rasséréner
réconcilier
réfléchir
remercier
respecter
secourir
servir
soigner
sourire
supporter
tempérer
tenir sa parole
tolérer
vénérer

Le personnage, ses défauts, des **noms** pour les nommer

l'affectation
l'agressivité
l'apathie
l'arrogance
l'avarice
l'avidité
la balourdise
la bassesse
la bêtise
la brutalité
la colère
la convoitise
la couardise
la cruauté
la cupidité
le cynisme
la déloyauté
la désinvolture
la duplicité
l'effronterie
l'égoïsme
l'envie
l'étourderie
l'excentricité
l'extravagance
la fainéantise
le fanatisme
la fatuité
la férocité
la fourberie
la frivolité
la froideur
la gaucherie
la gloutonnerie
la gourmandise
la grossièreté
l'hypocrisie
l'imbécillité
l'impatience
l'impertinence
l'impolitesse
l'imprévoyance
l'imprudence
l'impudence
l'impulsivité
l'inconscience
l'inconstance
l'indélicatesse
l'indifférence
l'indignité
l'indiscipline
l'indiscrétion
l'indolence
l'infatuation
l'infidélité
l'ingratitude
l'insolence
l'insouciance
l'intolérance
la jactance
la jalousie
la lâcheté
la ladrerie
la légèreté
la malhonnêteté
la malice
la méchanceté
la médiocrité
la mesquinerie
la misanthropie
la morgue
la muflerie
la négligence
la niaiserie
la nonchalance
l'oisiveté
l'orgueil
l'outrecuidance
la paresse
la pédanterie
la perfidie
la pingrerie
la poltronnerie
la présomption
la prétention
la rapacité
la rudesse
le sadisme
le sans-gêne
la servilité
la sottise
la sournoiserie
la stupidité
la vanité
la vantardise
la vénalité
la veulerie
la violence
la voracité
la vulgarité

Le personnage, ses défauts, des **adjectifs** pour le caractériser

acariâtre
agressif, agressive
arrogant, arrogante
artificiel, artificielle
avare
bilieux, bilieuse
boudeur, boudeuse
bourru, bourrue
cafardeux, cafardeuse
chiche
coléreux, coléreuse
cruel, cruelle
cuistre
cupide
dédaigneux, dédaigneuse
déloyal, déloyale
désinvolte
dissolu, dissolue
dur, dure
égoïste
envieux, envieuse
étourdi, étourdie
excentrique
excessif, excessive
fanatique
fanfaron, fanfaronne
fantasque

farouche
fat
fourbe
frivole
froid, froide
fruste
gourmand, gourmande
grognon, grognonne
grossier, grossière
hâbleur, hâbleuse
hargneux, hargneuse
hautain, hautaine
hypocrite
ignoble
ignorant, ignorante
immoral, immorale
impatient, impatiente
impitoyable
impoli, impolie
imprudent, imprudente
impulsif, impulsive
inconstant, inconstante
indifférent, indifférente
indigne
indiscipliné, indisciplinée
infidèle
ingrat, ingrate
inique
insatiable
insensé, insensée
insensible
insolent, insolente
insouciant, insouciante
irascible
irritable
jaloux, jalouse
lâche
ladre
libertin, libertine
malhonnête
maniéré, maniérée
méchant, méchante
médisant, médisante
menteur, menteuse
méprisant, méprisante
mesquin, mesquine
misanthrope
négligent, négligente
obséquieux, obséquieuse
ondoyant, ondoyante
orgueilleux, orgueilleuse
paresseux, paresseuse
pédant, pédante
perfide
pessimiste
pingre
poltron, poltronne
prétentieux, prétentieuse
pusillanime
radin, radine
rancunier, rancunière
sadique
servile
sot, sotte
sournois, sournoise
stupide
superficiel, superficielle
tatillon, tatillonne
traînard, traînarde
tyrannique
vaniteux, vaniteuse
vantard, vantarde
vil, vile
violent, violente
vorace

Le personnage, ses défauts, des **verbes** et des **expressions** pour en parler

abuser de
attaquer
avilir
blâmer
calomnier
camoufler sa pensée
condamner
déblatérer contre
décourager
dénigrer
déprécier
détruire
dévaloriser
discréditer
s'enfler la tête
s'enorgueillir
exagérer
exaspérer
feindre
se flatter de
se gaver de
haïr
s'impatienter
importuner
s'infatuer
injurier
insulter
irriter
se laisser aller
maudire
médire
mentir
mépriser
négliger
paresser
prétendre
railler
répandre son fiel
ridiculiser
semer la zizanie
soudoyer
se surestimer
trahir
tromper
se vanter de
se venger
vexer
vitupérer

Le personnage, ses qualités, ses défauts, des **images évocatrices**

Débordante d'une joie de vivre gourmande, Ariane était vive comme un pinson.
Son arrogance n'avait d'égal que sa sottise.

LA SITUATION INITIALE

Comme on l'a fait pour décrire les caractéristiques physiques, on peut recourir à la comparaison pour montrer les qualités et les défauts d'un personnage. Cette façon de faire est particulièrement évocatrice. La langue nous fournit tout une série de comparaisons pittoresques.

Le personnage, des **comparaisons pittoresques** pour exprimer ses qualités et ses défauts

Les qualités	Les défauts
adroite comme une fée	bavard comme une pie
beau comme un astre	bête comme une oie
beau comme un dieu	capricieux comme une chèvre
courageux comme un lion	curieux comme une chouette
doux comme un agneau	effronté comme un moineau
drôle comme un singe	ennuyeux comme un jour de pluie
fidèle comme un chien	entêté comme un mulet
fort comme un bœuf	fainéant comme une couleuvre
fort comme un cheval	fier comme un coq
franc comme l'or	gourmand comme une chatte
gai comme un pinson	jaloux comme un tigre
habile comme un singe	lent comme un escargot
ingénieux comme un castor	mauvais comme une teigne
joli comme un cœur	méchant comme la gale
loyal comme son épée	menteur comme une épitaphe
malin comme un singe	orgueilleux comme un paon
rapide comme l'éclair	paresseux comme une limace
robuste comme un chêne	perfide comme un serpent
sage comme une image	poltron comme un lièvre
simple comme une colombe	rapace comme un vautour
tendre comme la rosée	rusé comme un renard
travailleur comme une abeille	taciturne comme un hibou
vif comme la poudre	têtu comme un âne
vif comme un écureuil	têtu comme une bourrique
vif comme une anguille	têtu comme une mule

Certaines expressions formées à partir de l'une ou l'autre des parties du corps sauront camper un personnage, en décrivant judicieusement son caractère ou son comportement.

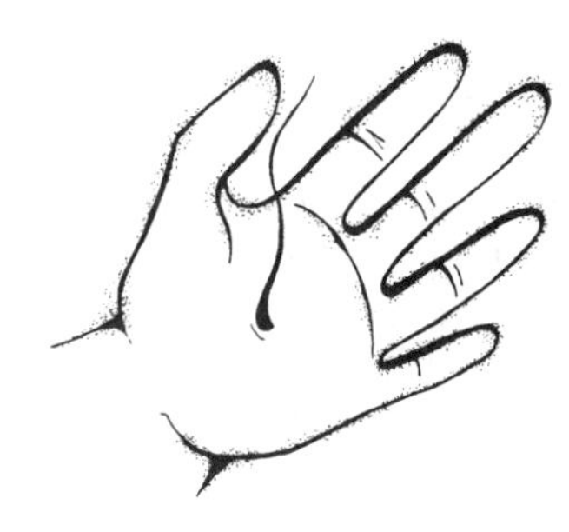

Le personnage, des **expressions** composées avec les parties du corps pour décrire son caractère

Les mains

avoir des mains pleines de pouces (être maladroit)
avoir la main leste (être prompt à frapper)
avoir la main lourde (être sévère, prompt à punir)
avoir les mains en guenille (être maladroit)
avoir toujours la main au bonnet (être très poli)
avoir toujours la main levée (être agressif, toujours prêt à se battre)
avoir toujours les mains dans ses poches (être fainéant)
avoir un poil dans la main (être paresseux)
avoir une main de fer (être autoritaire et inflexible)

Les doigts

avoir de l'esprit au bout des doigts (être adroit des mains)
avoir des doigts de fée (être très adroit)
avoir le pouce vert (être doué pour la culture des plantes)
ne pas lever le petit doigt (ne pas faire le moindre effort)
ne rien faire de ses dix doigts (être très paresseux)

La peau

n'avoir que la peau et les os (être très maigre)
avoir une sensibilité à fleur de peau (être très sensible)
avoir la peau dure (être résistant)
être bien dans sa peau (se sentir à l'aise)

Les yeux

avoir l'œil américain (être vigilant et perspicace)
avoir le compas dans l'œil (savoir estimer des distances, des angles avec exactitude)
avoir les yeux plus grands que la panse (surestimer ses capacités, être ambitieux)
avoir un coup d'œil sûr (avoir du discernement)
n'avoir pas froid aux yeux (avoir du courage, de la vaillance)
ne pas avoir les yeux dans sa poche (être très observateur)

Les pieds

avoir bon pied bon œil (être encore agile malgré l'âge)
avoir les deux pieds dans la même bottine (ne pas être très débrouillard)
avoir toujours un pied en l'air (être remuant, allègre)
avoir un pied dans la tombe (être très vieux)
perdre pied (perdre sa contenance)
vivre sur un grand pied (avec un grand train de vie)

Le cœur

avoir du cœur au ventre (être courageux)
avoir le cœur à la bouche (parler avec franchise)
avoir le coeur serré (éprouver du chagrin)
avoir le cœur sur la main (être toujours prêt à donner)
avoir un cœur d'or (être généreux)
avoir un cœur de citrouille (être lâche)
avoir un cœur de pierre (être très dur, insensible)
avoir une pierre à la place du cœur (être très dur, insensible)
être sans cœur (être insensible)

La tête

avoir du plomb dans la tête (être réfléchi, posé, sérieux)
avoir la tête dans les nuages (être distrait)
avoir la tête dure (être têtu)
avoir la tête enflée (être prétentieux, vaniteux)
avoir la tête forte (avoir l'esprit critique, contestataire)
avoir la tête près du bonnet (être irritable, s'emporter facilement)
avoir la tête sur les épaules (être plein de bon sens, équilibré)
avoir un petit pois dans la tête (être sot)
avoir une mauvaise tête (être rebelle, désobéissant)
avoir une tête d'œuf (être niais)
avoir une tête de linotte (être écervelé)
avoir une tête de mule (être têtu)
avoir une tête de pioche (avoir la tête dure)
ne pas être la tête à Papineau (ne pas être intelligent)

Le nez

avoir la vue plus courte que le nez (être imprévoyant)
avoir le nez creux (avoir du flair)
ne pas voir plus loin que le bout de son nez (être imprévoyant)

Les oreilles

avoir l'oreille basse (être humilié, confus, penaud)
avoir les oreilles bien longues (être ignorant et bête)
avoir les oreilles molles (être paresseux)
tendre l'oreille (être attentif)

La langue

avoir la langue bien pendue (être bavard)
avoir la langue grasse (être grossier)
avoir une langue de vipère (être médisant)
ne pas avoir la langue dans sa poche (avoir de la facilité à répliquer)

LA SITUATION INITIALE

Aimer vivre seul ou en famille, vivre la nuit et dormir le jour, travailler jour et nuit, voilà autant de manières de vivre auxquelles on peut associer un personnage.

LE PERSONNAGE, SON MODE DE VIE

Je pourrais être héroïnomane, criblé de trous d'aiguilles et de désespoirs décapants. Je pourrais marcher sans but et sans raison de vivre, tel un clochard métaphysique.

Monique Proulx

Le personnage, des **noms** et des **expressions** pour nommer son mode de vie

Seul

une âme en peine
un ascète
un asocial, une asociale
un cénobite
un contemplatif, une contemplative
un délaissé, une délaissée
un ermite
un étranger, une étrangère
un marginal, une marginale
un misanthrope, une misanthrope
un mystique, une mystique
un paria
un proscrit, une proscrite
un rebelle, une rebelle
un reclus, une recluse
un sage

Le personnage, des **adjectifs** pour caractériser son mode de vie

Seul

asocial, asociale
autosuffisant, autosuffisante
célibataire
cloîtré, cloîtrée
contemplatif, contemplative
effacé, effacée
esseulé, esseulée
farouche
inaccessible
indépendant, indépendante
isolé, isolée
lointain, lointaine
reclus, recluse
renfermé, renfermée
replié, repliée
retiré, retirée
sauvage
solitaire

Le personnage, des **verbes** et des **expressions** pour parler de son mode de vie

Seul

se barricader
se calfeutrer
se cantonner
se claquemurer
se claustrer
se cloîtrer
se confiner
déserter
s'éloigner
s'enfermer
s'exiler
frapper d'ostracisme
fuir
s'isoler
monologuer
se replier sur soi
se retirer
se séparer
séquestrer
soliloquer
se terrer

Le personnage, des **noms** pour nommer son mode de vie

En société

un adepte, une adepte
un adhérent, une adhérente
un allié, une alliée
un ami, une amie
un animateur, une animatrice
un aristocrate, une aristocrate
une assemblée
une association
un associé, une associée
un attroupement
une bande
un baron, une baronne
un bourgeois, une bourgeoise
un camarade, une camarade
un capitaine
un caporal
une caste
un chef
un cercle
un citoyen, une citoyenne
un clan
un club
une coalition
un coéquipier, une coéquipière
un collaborateur, une collaboratrice
une collectivité
un collègue, une collègue
un commandant
une communauté
un compagnon, une compagne
un compatriote, une compatriote
un comte, une comtesse
un confrère, une consœur
un copain, une copine
un courtisan
un délégué, une déléguée
un despote
un directeur, une directrice
un dirigeant, une dirigeante
un disciple, une disciple
un duc, une duchesse
une école
une élite
un empereur, une impératrice
une équipe
une escouade
une ethnie
une famille
une fédération
un fidèle, une fidèle
une fraternité
un gouverneur
un inscrit, une inscrite
un interlocuteur, une interlocutrice
un maire, une mairesse
un maître, une maîtresse
un mandarin
un marquis, une marquise
un membre, une membre
un meneur, une meneuse
un militant, une militante
un monarque
un moniteur, une monitrice
une nation
un noble, une noble
une organisation
un ouvrier, une ouvrière
des parents
un partenaire, une partenaire
un parti
un participant, une participante
un partisan, une partisane
un patron, une patronne
un peloton
une peuplade
un peuple
un président, une présidente
un prince, une princesse
une église
un responsable, une responsable
un roi, une reine
un roturier, une roturière
une secte
un seigneur
un subalterne, une subalterne
un sujet (d'un roi)
un supérieur, une supérieure
un sympathisant, une sympathisante
une tribu
un tyran
une union
un vassal, une vassale

Le personnage, des **adjectifs** pour caractériser son mode de vie

En société

acclamé, acclamée
accueillant, accueillante
amical, amicale
bienveillant, bienveillante
célèbre
charismatique
communicatif, communicative
compétent, compétente
compréhensif, compréhensive
convaincant, convaincante
courtois, courtoise
démagogue
diplomate
éminent, éminente
empathique
engagé, engagée
estimé, estimée
extraverti, extravertie
extrémiste
flamboyant, flamboyante
fraternel, fraternelle
généreux, généreuse
grégaire
humaniste
notoire
organisateur, organisatrice
pacifique
philanthrope
populaire
renommé, renommée
réputé, réputée
séduisant, séduisante
sociable
solidaire
universel, universelle
versatile

Le personnage, des **verbes** pour parler de son mode de vie

En société

accueillir
accuser
s'acoquiner
s'allier
appuyer
asservir
s'associer
assujettir
briller
conquérir
défendre
demander
dépenser
dialoguer
dissuader
éduquer
encourager
épauler
épouser
exhorter à
faire la guerre
fraterniser
guider
s'imposer
inciter à
interroger
maintenir
se marier
négocier
ordonner de
pacifier
parader
pardonner
proposer de
protéger
se réconcilier
réconforter
rutiler
seconder
servir
se solidariser
se soumettre
soutenir
suggérer de
sympathiser
trahir
s'unir
se venger

Le personnage, son mode de vie, des **images évocatrices**

Peu à peu, son chagrin l'isola des autres et, tel un bernard-l'ermite, il rentra dans sa coquille pour n'en sortir que très rarement.
Les autres lui étaient aussi nécessaires que l'air : généreux, disponible, drôle, il les attirait aussi sûrement que le nectar, les abeilles.

«Qui se ressemble s'assemble.» Cette maxime se vérifie assez souvent. On révèle donc beaucoup de choses sur un personnage en décrivant ses relations.

LE PERSONNAGE, SES RELATIONS

Si j'étais mort avant de te connaître,
Ma vie n'aurait jamais été que fil rompu
Pour la mémoire et pour la trace.
Gaston Miron

Le personnage, ses relations, des **noms** pour les nommer

La famille

un aïeul, une aïeule
les aïeux
l'aîné, l'aînée
les ancêtres
les ascendants
le beau-père, la belle-mère
le benjamin, la benjamine
le cadet, la cadette
un cousin, une cousine
un descendant, une descendante
une dynastie
les époux, les épouses
les fiancés, les fiancées
un filleul, une filleule
un fils, une fille
un frère, une sœur
un gendre, une bru
une généalogie
les grands-parents
un héritier, une héritière
des jumeaux, des jumelles
un neveu, une nièce
un oncle, une tante
un parrain, une marraine
un père, une mère
la postérité
la progéniture
le puîné, la puînée

Le personnage, ses relations, des **adjectifs** pour les caractériser

La famille

accueillant, accueillante
adoptif, adoptive
attachant, attachante
biologique
chaleureux, chaleureuse
conformiste
cordial, cordiale
divisé, divisée
durable
fidèle
filial, filiale
fraternel, fraternelle
généreux, généreuse
harmonieux, harmonieuse
impérissable
inaltérable
indéfectible
maternel, maternelle
paternel, paternelle
perturbé, perturbée
reconstitué, reconstituée
rompu, rompue
solide
stable
tendu, tendue
touchant, touchante
traditionnel, traditionnelle
violent, violente

Le personnage, ses relations, des **verbes** et des **expressions** pour en parler

La famille

adopter
dénigrer
dépendre de
descendre de
éduquer
élever
engendrer
être allié à
être issu de
fonder
hériter
léguer
se marier
partager
quitter
se rassembler
renier
ressembler à
se réunir
soutenir
succéder à

Le personnage, ses relations, des **noms** pour les nommer

Le milieu social

un acolyte, une acolyte
un admirateur, une admiratrice
un adversaire, une adversaire
un allié, une alliée
un ami, une amie
un antagoniste, une antagoniste
un associé, une associée
un camarade, une camarade
une célébrité
un champion, une championne
un coéquipier, une coéquipière
un collaborateur, une collaboratrice
un collègue, une collègue
un commensal, une commensale
un compagnon, une compagne
un comparse, une comparse
un compatriote, une compatriote
un compère
un complice, une complice
un concurrent, une concurrente
un condisciple, une condisciple
un confident, une confidente
un confrère, une consœur
une connaissance
un conseiller, une conseillère
un convive, une convive
un copain, une copine
un correspondant, une correspondante
un défenseur
un disciple, une disciple
une égérie
un émule, une émule
un ennemi, une ennemie
un guide, une guide
un homologue, une homologue
un hôte, une hôtesse
une idole
un initiateur, une initiatrice
un inspirateur, une inspiratrice
un invité, une invitée
un magnat
un maître, une maîtresse
un mécène
un mentor
un modèle
une muse
un notable
un partisan, une partisane
une personnalité
un précepteur, une préceptrice
un protagoniste, une protagoniste
un protecteur, une protectrice
un rival, une rivale
une sommité
une star
un subalterne, une subalterne
un supérieur, une supérieure
un tuteur, une tutrice
une vedette
un voisin, une voisine

Le personnage, ses relations, des **adjectifs** pour les caractériser

Le milieu social

amical, amicale
assidu, assidue
compliqué, compliquée
courtois, courtoise
difficile
discret, discrète
fervent, fervente
franc, franche
froid, froide
inébranlable
intéressé, intéressée
intime
invivable
mondain, mondaine
orageux, orageuse
passager, passagère
passionné, passionnée
poli, polie
professionnel, professionnelle
sincère

Le personnage, ses relations, des **verbes** et des **expressions** pour en parler

Le milieu social

accompagner
affronter l'adversité
s'allier à
s'associer avec
se coaliser
comploter contre
côtoyer
couronner
courtiser les puissants
décerner un prix
déchoir de son rang
décorer quelqu'un
déshonorer
discréditer
se disputer les honneurs
éconduire
s'entourer de
envier
être dans les bonnes grâces de
féliciter
former alliance avec
fraterniser avec
fréquenter
fuir la célébrité
honorer
intriguer
inviter
jouir d'une grande notoriété
se lier d'amitié avec
se liguer contre
se ménager des appuis
monter dans l'échelle sociale
récompenser
se réconcilier avec
reconnaître
servir
soigner son image
se solidariser avec
tomber en disgrâce
se voisiner

Le personnage, ses relations, des **images évocatrices**

La famille avait toujours été pour lui un cocon enveloppant qui le protégeait du dehors.
Il avait traîné sa célébrité comme un boulet.
À force de courtiser les puissants, il monte rapidement dans l'échelle sociale.

LA SITUATION INITIALE

Pratiquer un métier, s'adonner à des loisirs, c'est choisir un milieu qui permet à ses talents et à ses aptitudes de s'épanouir. C'est donc une façon habile de parler du personnage.

LE PERSONNAGE, SON MÉTIER, SES LOISIRS

Un écrivain n'a vraiment besoin que d'une chambre tranquille, de papier et de soi-même.

Gabrielle Roy

Le personnage, son métier, des **noms** pour le nommer

un acrobate, une acrobate
un acteur, une actrice
un annonceur, une annonceuse
un apiculteur, une apicultrice
un archéologue, une archéologue
un architecte, une architecte
un archiviste, une archiviste
un artisan, une artisane
un artiste, une artiste
un astronome, une astronome
un aubergiste, une aubergiste
un avocat, une avocate
un berger, une bergère
un bijoutier, une bijoutière
un boulanger, une boulangère
un brigadier, une brigadière
un bûcheron, une bûcheronne
un capitaine, une capitaine
un chanteur, une chanteuse
un charpentier, une charpentière
un chercheur, une chercheuse
un chorégraphe, une chorégraphe
un clown, une clown
un coiffeur, une coiffeuse
un comédien, une comédienne
un commerçant, une commerçante
un commissaire, une commissaire
un compositeur, une compositrice
un concierge, une concierge
un cordonnier, une cordonnière
un couturier, une couturière
un danseur, une danseuse
un décorateur, une décoratrice
un dessinateur, une dessinatrice
un détective, une détective
un diplomate, une diplomate
un directeur, une directrice
un ébéniste, une ébéniste
un éclairagiste, une éclairagiste
un écrivain, une écrivaine
un éditeur, une éditrice
un électricien, une électricienne
un enseignant, une enseignante
un espion, une espionne
un géologue, une géologue
un historien, une historienne
un horloger, une horlogère
un illusionniste, une illusionniste
un imprésario, une imprésario
un informaticien, une informaticienne
un inventeur, une inventeuse
un jardinier, une jardinière
un journaliste, une journaliste
un juge, une juge
un libraire, une libraire
un luthier, une luthière
un maçon, une maçonne
un magicien, une magicienne
un mannequin
un marchand, une marchande
un matelot, une matelot
un médecin, une médecin
un menuisier, une menuisière
un meunier, une meunière

→

un militaire, une militaire
un musicien, une musicienne
un notaire, une notaire
un pâtissier, une pâtissière
un pêcheur, une pêcheuse
un peintre, une peintre
un pharmacien, une pharmacienne
un philosophe, une philosophe
un pilote, une pilote
un poète, une poétesse
un policier, une policière
un pompier, une pompière
un potier, une potière
un prêtre, une prêtresse
un réalisateur, une réalisatrice
un savant, une savante
un sculpteur, une sculpteure
un traducteur, une traductrice
un typographe, une typographe
un vitrier, une vitrière

Le personnage, des **adjectifs** pour le caractériser dans son métier

adroit, adroite
appliqué, appliquée
astucieux, astucieuse
audacieux, audacieuse
avisé, avisée
chevronné, chevronnée
compétent, compétente
concussionnaire
efficace
érudit, érudite
expert, experte
imaginatif, imaginative
incorruptible
ingénieux, ingénieuse
intègre
inventif, inventive
loyal, loyale
malhabile
malhonnête
méticuleux, méticuleuse
minutieux, minutieuse
négligent, négligente
novateur, novatrice
productif, productive
prolifique
recherché, recherchée
renommé, renommée
réputé, réputée
scrupuleux, scrupuleuse
soigné, soignée

Le personnage, des **verbes** et des **expressions** pour parler de son métier

accomplir
s'acharner à
s'appliquer à
avoir pour mandat de
avoir sous sa direction
bâcler
besogner
collaborer
congédier
courir des risques
cultiver
découvrir
démissionner
diriger
s'échiner à
embaucher
embrasser la carrière de
engager
entrer en fonction
être à l'affût de
être chargé de
être muté
être préposé à
exécuter
exercer un métier
façonner
fainéanter
faire carrière dans
fignoler
gravir les échelons
licencier
limoger
manœuvrer
mettre à pied
monter en grade
négliger
occuper un poste de
paresser
parfaire
se passionner pour
peaufiner
peiner
se perfectionner
poser sa candidature
postuler un emploi
prospérer
quitter un emploi
relever de
résigner ses fonctions
résilier un contrat
signer
solliciter un emploi
suppléer
travailler à son compte
travailler d'arrache-pied
trimer
vérifier

Le personnage, ses loisirs, des **noms** pour les nommer

un alpiniste, une alpiniste
un amateur, une amateure
un aquaplaniste, une aquaplaniste
un aquariophile, une aquariophile
un athlète, une athlète
un bédéphile, une bédéphile
un bibliomane, une bibliomane
un bricoleur, une bricoleuse
un cinéphile, une cinéphile
un collectionneur, une collectionneuse
un colombophile, une colombophile
un cruciverbiste, une cruciverbiste
un dilettante, une dilettante
un discophile, une discophile
un écuyer, une écuyère
un excursionniste, une excursionniste
un explorateur, une exploratrice
un globe-trotter, une globe-trotter
un gymnaste, une gymnaste
un judoka, une judoka
un marathonien, une marathonienne
un marcheur, une marcheuse
un mélomane, une mélomane
un numismate, une numismate
un œnophile, une œnophile
un ornithologue, une ornithologue
un parachutiste, une parachutiste
un patineur, une patineuse
un philatéliste, une philatéliste
un promeneur, une promeneuse
un randonneur, une randonneuse
un skieur, une skieuse
un trampoliniste, une trampoliniste
un véliplanchiste, une véliplanchiste

Le personnage, des **adjectifs** pour le caractériser dans ses loisirs

absorbé, absorbée
actif, active
amorphe
apte
calme
concentré, concentrée
créateur, créatrice
curieux, curieuse
dépensier, dépensière
détendu, détendue
dynamique
enthousiaste
excessif, excessive
fanatique
fier, fière
friand, friande
habile
hardi, hardie
inventif, inventive
mordu, mordue
novateur, novatrice
oisif, oisive
passionné, passionnée
persévérant, persévérante

Le personnage, des **verbes** et des **expressions** pour en parler dans ses loisirs

s'absorber dans
s'adonner à
apprendre
assimiler
bricoler
collectionner
composer
créer
découvrir
se délasser
se désennuyer
se détendre
se distraire
se divertir
épater
étudier
exceller dans
s'exercer à
se familiariser avec
flâner
s'initier à
s'intéresser à
musarder
s'occuper
se passionner pour
peindre
raffoler de
remplir ses temps libres
sculpter
tuer le temps

Le personnage, son métier, ses loisirs, des **images évocatrices**

Astucieux et avisé, il exerçait son métier de vendeur comme un renard à l'affût de sa proie.
Se lancer dans les airs, affronter le vide en même temps que sa peur, le parachutisme restait pour elle un défi constant.

PUIS SURVINT... UN ÉVÉNEMENT

Dans tout récit, le personnage nous est présenté dès le début, dans la situation initiale. Puis, dans le cœur du récit, ce personnage-héros doit s'animer, il doit se mettre à vivre toutes sortes d'aventures, dramatiques ou enrichissantes, qui le feront réagir et l'amèneront à agir.

Dans tout récit, c'est l'événement qui mène le bal. Que ce soit un événement heureux ou malheureux, drôle ou triste, prévisible ou inattendu, il est au cœur du récit. Il importe de bien le choisir puisqu'il doit déclencher les actions, les réactions et les sentiments des personnages dans la suite de l'histoire.

LES ÉVÉNEMENTS

Ce fut le silence pendant quelques secondes, puis j'entendis de nouveau des bruits de pas. Et soudain, je vis une silhouette féminine dans le brouillard...

Jacques Poulin

Les événements, des **mots** et des **expressions** pour les nommer

Les événements heureux

l'achat d'une moto
une amitié nouvelle
un bal de fin d'études
un cadeau inattendu
un championnat
un concert
un congé imprévu
le début des vacances
la découverte de la mer
un défilé
une distribution de prix
un emploi d'été
une épluchette de maïs
une excursion
un festin
une fête anniversaire
un feu d'artifice
des fiançailles
une guérison
une lettre d'amour
une lune de miel
un mariage
une messe de minuit
une naissance
des noces
Noël
Pâques
une partie de sucre
un premier rôle
une randonnée de ski
la réalisation d'un rêve
une rencontre inoubliable
un rendez-vous amoureux
le retour du printemps
la réussite d'un examen
la Saint-Jean-Baptiste
une soirée de danse
un spectacle rock
un voyage

Les événements malheureux

l'apparition soudaine d'un bouton d'acné
un accident
un cambriolage
une catastrophe écologique
un changement d'école
une crise économique
le décès d'une personne chère
une défaite
un déraillement
un divorce
un échec scolaire
un écrasement d'avion

→

un enlèvement
une épidémie
une éruption volcanique
un exil
une explosion
une expulsion de l'école
une expulsion de la troupe de théâtre
une faillite
une guerre
un incendie
une intervention chirurgicale
une maladie
un meurtre
la mort de son chien
un naufrage
une nuit seul(e) en forêt
un ouragan
une panne de chauffage
une peine d'amour
la perte d'un emploi
un raz de marée
un séisme
un suicide
une tricherie

Dans le cœur du récit, le personnage doit entrer en relation avec d'autres, il passera sûrement par une gamme d'émotions : il peut aimer, trahir, pleurer, souffrir.

LES RÉACTIONS DU PERSONNAGE

Pour la première fois depuis le soir du désastre, elle pleura sans témoin. [...] Elle pleura la mort de son époux, sa solitude et sa rage.

Gabriel Garcia Marquez

Les réactions du personnage : joie, amour, orgueil

La joie, des **noms** pour la nommer

l'allégresse
l'ardeur
le bien-être
le bonheur
le contentement
la délectation
le délice
le délire
l'enchantement
l'enjouement
l'enthousiasme
l'entrain
l'euphorie
l'extase
l'exultation
la félicité
la fierté
la gaieté
l'hilarité
l'ivresse
la jovialité
la jubilation
le plaisir
le ravissement
la réjouissance
la satisfaction
la volupté

La joie, des **adjectifs** pour la caractériser

allègre
amusé, amusée
badin, badine
béat, béate
bienheureux, bienheureuse
comblé, comblée
content, contente
déridé, déridée
enchanté, enchantée

enthousiaste
épanoui, épanouie
euphorique
exalté, exaltée
fier, fière
gai, gaie
gaillard, gaillarde
guilleret, guillerette
heureux, heureuse
hilare
ivre de joie
jovial, joviale
joyeux, joyeuse
jubilant, jubilante
optimiste
radieux, radieuse
ravi, ravie
rayonnant, rayonnante
réjoui, réjouie
riant, riante
rieur, rieuse
satisfait, satisfaite
transporté, transportée
triomphant, triomphante

La joie, des **verbes** et des **expressions** pour en parler

s'amuser
bondir de joie
charmer
chasser la mélancolie
combler de joie
se délecter
dérider
dilater la rate
d'en donner à cœur joie
égayer
enchanter
ensoleiller
épancher sa joie
être au comble de la joie
être au septième ciel
être aux anges
être en liesse
être en pâmoison
être tout à la joie de
exulter
faire la joie de
faire le bonheur de
se faire une joie de
se féliciter de
se frotter les mains
jubiler
mettre en joie
nager dans le bonheur
se pâmer de joie
pavoiser
ravir
régaler
réjouir
répandre la joie
sauter de joie
ne plus se sentir de joie
transporter de joie
tressaillir de joie
voir la vie en rose

L'amour, des **noms** pour le nommer

l'admiration
l'adoration
l'adulation
l'affection
l'altruisme
l'amitié
une amourette
l'ardeur
l'attachement
la charité
la compassion
un coup de foudre
un culte
le désir
une dévotion
la dilection
l'élan
l'emballement
l'engouement
l'estime
la ferveur
la flamme
un flirt
l'idolâtrie
une idylle
une inclination
une liaison
une passade
la passion
la philanthropie
la prédilection
la révérence
la sollicitude
la sympathie
la tendresse
la vénération

L'amour, des **adjectifs** pour le caractériser

affectionné, affectionnée
altruiste
amoureux, amoureuse
ardent, ardente
attaché, attachée
attendri, attendrie
attentionné, attentionnée
brûlant, brûlante
charitable
constant, constante
dévorant, dévorante
dévoué, dévouée
divin, divine
emporté, emportée
excessif, excessive
féroce
fervent, fervente
fidèle

fiévreux, fiévreuse
fou, folle
fougueux, fougueuse
idolâtre
idyllique
impétueux, impétueuse
indéfectible
inébranlable
infini, infinie
jaloux, jalouse
oblatif, oblative
orageux, orageuse
passionné, passionnée
philanthropique
possessif, possessive
réciproque
romanesque
romantique
sensuel, sensuelle
spontané, spontanée
tendre
tumultueux, tumultueuse
universel, universelle
vif, vive

L'amour, des **verbes** et des **expressions** pour en parler

admirer
adorer
affectionner
aimer à la folie
aimer plus que ses yeux
aller droit au cœur
s'amouracher de
s'attacher à
s'attendrir
n'avoir d'yeux que pour
avoir de l'affection pour
avoir le béguin pour
avoir le coup de foudre
briser le cœur
brûler d'amour pour
chérir
compatir
se consumer d'amour
désirer
se dévouer pour
donner son cœur
s'embraser pour
s'enamourer de
s'enflammer pour
s'enticher de
s'éprendre de
estimer
être ensorcelé par
être épris de
être fou de
faire battre le cœur
filer le parfait amour
fondre d'amour
fraterniser
idolâtrer
se lier d'amitié
mourir d'amour
offrir son cœur
porter dans son cœur
se prendre d'amitié
raffoler de
réchauffer le cœur
tomber amoureux de
tomber dans l'œil de
se toquer de
vénérer
vivre d'amour et d'eau fraîche
vouer un culte à

L'orgueil, des **noms** pour le nommer

l'ambition
l'amour-propre
l'arrogance
le dédain
la désinvolture
l'estime de soi
la fierté
la gloriole
la hauteur
l'immodestie
l'impertinence
l'impudence
l'infatuation
l'insolence
la jactance
la mégalomanie
le mépris
la morgue
le narcissisme
l'outrecuidance
la pose
la présomption
la prétention
la suffisance
la superbe
la supériorité
la vanité

L'orgueil, des **adjectifs** et des **expressions** pour le caractériser

altier, altière
ambitieux, ambitieuse
arrogant, arrogante
bouffi d'orgueil, bouffie d'orgueil
crâneur, crâneuse
dédaigneux, dédaigneuse
fat
hautain, hautaine
imbu, imbue de soi-même
immodeste
impudent, impudente
infatué, infatuée

insolent, insolente
méprisant, méprisante
ombrageux, ombrageuse
orgueilleux, orgueilleuse
outrecuidant, outrecuidante
pénétré de soi, pénétrée de soi
pétri d'orgueil, pétrie d'orgueil
poseur, poseuse
présomptueux, présomptueuse
prétentieux, prétentieuse
sourcilleux, sourcilleuse
suffisant, suffisante
vaniteux, vaniteuse
vantard, vantarde

L'orgueil, des **verbes** et des **expressions** pour en parler

s'admirer
avoir la tête enflée
avoir la tête qui tourne
bomber le torse
se complimenter
se croire le centre du monde
se donner de l'importance
se donner du jabot
se dresser sur ses ergots
s'écouter parler
s'élever
s'enorgueillir
s'envoyer des fleurs
être satisfait de soi-même
être trop fier pour
s'en faire accroire
se faire gloire de
faire la roue
faire l'olibrius
faire le grand seigneur
faire le jars
faire le paon
se flatter de
se glorifier de
se gonfler
s'infatuer
mépriser
monter à la tête
se pavaner
se piquer de
porter haut le front
se prendre au sérieux
prendre des grands airs
le prendre de haut
prendre un air de conquérant
prendre un ton méprisant
se prévaloir de
regarder de haut
se rengorger
se surestimer
se targuer de
tirer gloire de
tirer vanité de
se vanter de
vivre dans une tour d'ivoire

Les réactions du personnage : agitation, surprise, courage

L'agitation, des **noms** pour la nommer

l'affairement
l'affolement
l'animation
l'ardeur
le bouillonnement
le bouleversement
le chambardement
la confusion
la convulsion
la débâcle
la débandade
le déchaînement
le dérangement
le dérèglement
le désarroi
la dispersion
la dissipation
la dissolution
l'ébranlement
l'ébullition
l'effervescence
l'émoi
l'énervement
l'excitation
la fébrilité
la fièvre
le frémissement
la frénésie
la hâte
l'hystérie
l'impatience
l'impétuosité
l'insurrection
la panique
la perturbation
la précipitation
la rébellion
le remous
la révolte
la surexcitation
la tempête
la tension
la tourmente
le tremblement
la trépidation
le trouble
le tumulte
la turbulence

L'agitation, des **adjectifs** pour la caractériser

affairé, affairée
affolé, affolée
agité, agitée
anxieux, anxieuse
ardent, ardente
chambardé, chambardée
chaviré, chavirée
déchaîné, déchaînée
dissipé, dissipée
ému, émue
énervé, énervée
enfiévré, enfiévrée
éperdu, éperdue
exalté, exaltée
excité, excitée
exubérant, exubérante
fébrile
fiévreux, fiévreuse
frénétique
grouillant, grouillante
halluciné, hallucinée
hâtif, hâtive
hystérique
inquiet, inquiète
intense
nerveux, nerveuse
orageux, orageuse
passionné, passionnée
pétulant, pétulante
précipité, précipitée
remuant, remuante
sémillant, sémillante
surexcité, surexcitée
tendu, tendue
tourmenté, tourmentée
trépidant, trépidante
troublé, troublée
tumultueux, tumultueuse
turbulent, turbulente

L'agitation, des **verbes** et des **expressions** pour en parler

s'affairer
s'affoler
s'agiter
aller et venir
s'animer
avoir le diable au corps
avoir les nerfs en boule
battre la chamade
bouger
bouillonner
courir en tous sens
se dandiner
se débattre
se déchaîner
se démener
s'ébrouer
s'émouvoir
s'emporter
s'empresser
se faire du sang noir
faire les cent pas
frétiller
gesticuler
gigoter
piaffer
se précipiter
remuer
se secouer
ne pas tenir en place
se tortiller
tourbillonner
tourner en rond
se trémousser
trépider
trépigner
tressauter

La surprise, des **noms** pour la nommer

l'ahurissement
la confusion
la consternation
la déroute
l'ébahissement
l'éblouissement
l'effarement
l'embarras
l'émerveillement
l'étonnement
l'hébétude
la perplexité
le saisissement
la stupéfaction
la stupeur

La surprise, des **adjectifs** pour la caractériser

abasourdi, abasourdie
ahuri, ahurie
confondu, confondue
déconcerté, déconcertée
déconfit, déconfite
défait, défaite
dérouté, déroutée
désarçonné, désarçonnée
désarmé, désarmée
désemparé, désemparée
ébahi, ébahie
éberlué, éberluée
effaré, effarée
émerveillé, émerveillée
ému, émue
épaté, épatée
époustouflé, époustouflée
estomaqué, estomaquée
étonné, étonnée
frappé de stupeur
hébété, hébétée

→

interdit, interdite
interloqué, interloquée
médusé, médusée
pantois, pantoise
pétrifié, pétrifiée
pris au dépourvu
renversé, renversée
saisi, saisie
sidéré, sidérée
stupéfait, stupéfaite
stupéfié, stupéfiée
troublé, troublée

La surprise, des **verbes** et des **expressions** pour en parler

abasourdir
ahurir
en avoir le souffle coupé
confondre
consterner
ne pas en croire ses yeux
déconcerter
décontenancer
ébahir
éberluer
éblouir
écarquiller les yeux
effarer
s'émerveiller de
épater
époustoufler
estomaquer
s'étonner de
frapper de stupeur
impressionner
méduser
en perdre ses moyens
pétrifier
prendre par surprise
renverser
rester baba
rester bouche bée
rester cloué sur place
rester pantois
saisir
sidérer
stupéfier
sursauter
tomber à la renverse
tomber de haut
tomber des nues

Le courage, des **noms** et des **expressions** pour le nommer

l'ardeur
l'audace
la bravoure
la combativité
la constance
la détermination
l'énergie
l'enthousiasme
l'espérance folle
la force d'âme
la fougue
la hardiesse
l'héroïsme
l'impétuosité
l'intrépidité
l'opiniâtreté
la patience
la persévérance
la résolution
le sang-froid
la témérité
la vaillance
la volonté
le zèle

Le courage, des **adjectifs** pour le caractériser

aguerri, aguerrie
ardent, ardente
audacieux, audacieuse
brave
chevaleresque
confiant, confiante
décidé, décidée
déterminé, déterminée
dynamique
énergique
fougueux, fougueuse
hardi, hardie
héroïque
impavide
impétueux, impétueuse
indomptable
intrépide
preux
résolu, résolue
stoïque
sûr, sûre
téméraire
vaillant, vaillante
valeureux, valeureuse
vertueux, vertueuse
volontaire
zélé, zélée

Le courage, des **verbes** et des **expressions** pour en parler

affronter le danger
aller au devant de
s'armer de courage
avoir du cœur au ventre
avoir du cran
ne pas avoir froid aux yeux
avoir l'audace de
se battre comme un lion
braver
défier
n'écouter que son courage
s'enhardir jusqu'à
faire fi du danger
faire front
garder la tête froide
ne pas se laisser intimider
lutter ferme
mépriser le danger
se mesurer à
oser
persévérer
prendre son courage à deux mains
redonner courage à
relever le défi

Les réactions du personnage : honte, tristesse, désespoir

La honte, des **noms** pour la nommer

l'abaissement
l'abjection
l'avilissement
la bassesse
la confusion
la corruption
la décadence
la déchéance
la déconsidération
la dégradation
la déliquescence
la dépravation
le déshonneur
le discrédit
une flétrissure
l'humiliation
l'ignominie
l'indignité
l'infamie
l'opprobre
le remords
le repentir
le scandale
une turpitude

La honte, des **adjectifs** pour la caractériser

abaissé, abaissée
avili, avilie
confus, confuse
contrit, contrite
décadent, décadente
déchu, déchue
déshonoré, déshonorée
discrédité, discréditée
embarrassé, embarrassée
honteux, honteuse
humilié, humiliée
ignoble
indigne
infâme
odieux, odieuse
penaud, penaude
piteux, piteuse
ravalé, ravalée
repentant, repentante
scandaleux, scandaleuse
vil, vile

La honte, des **verbes** et des **expressions** pour en parler

avaler des couleuvres
avoir l'oreille basse
avoir toute honte bue
baisser les yeux
devenir rouge comme une écrevisse
humilier
mourir de honte
perdre la face
rougir de honte
tomber plus bas que terre

La tristesse, des **noms** pour en parler

l'accablement
l'affliction
l'aigreur
l'amertume
le chagrin
la contrariété
la déception
le déchirement
le déplaisir
le désagrément
le désappointement
le désenchantement
la désillusion
la douleur
l'ennui
la grisaille
des idées noires
l'inquiétude
la langueur
les larmes
la lassitude
la mauvaise humeur
la mélancolie
la morosité
la neurasthénie
la nostalgie
la peine
le regret
la souffrance
le spleen
le tourment
le tracas
le vague à l'âme

La tristesse, des **adjectifs** pour la caractériser

accablé, accablée
affecté, affectée
affligé, affligée
aigri, aigrie
alangui, alanguie
amer, amère
angoissé, angoissée
assombri, assombrie
attristé, attristée
chagrin, chagrine
déchiré, déchirée
désabusé, désabusée
désenchanté, désenchantée
désillusionné, désillusionnée
désolé, désolée
éprouvé, éprouvée
languissant, languissante
malheureux, malheureuse
maussade
mélancolique
morne
morose
navré, navrée
neurasthénique
nostalgique
peiné, peinée
rembruni, rembrunie
sombre
soucieux, soucieuse
taciturne

La tristesse, des **verbes** et des **expressions** pour en parler

avoir des idées noires
avoir du vague à l'âme
avoir le cœur gros
avoir le cœur lourd
avoir le cœur serré
avoir les larmes aux yeux
attrister
broyer du noir
désappointer
errer comme une âme en peine
faire triste mine
faire une tête d'enterrement
fondre en larmes
geindre
gémir
languir
larmoyer
peiner
pleurer
sangloter
sombrer dans la mélancolie
voir la vie en noir

Le désespoir, des **noms** pour en parler

l'abattement
l'anéantissement
la consternation
le découragement
la démoralisation
la dépression
la déréliction
le désarroi
la désespérance
la désolation
la détresse
la prostration

Le désespoir, des **adjectifs** pour le caractériser

abattu, abattue
affligé, affligée
anéanti, anéantie
atterré, atterrée
consterné, consternée
découragé, découragée
décomposé, décomposée
défait, défaite
dégoûté, dégoûtée
démoralisé, démoralisée
déprimé, déprimée
désespéré, désespérée
éploré, éplorée
inconsolable
prostré, prostrée

Le désespoir, des **verbes** et des **expressions** pour en parler

s'arracher les cheveux
avoir l'âme en deuil
avoir la mort dans l'âme
avoir le cœur brisé
se décourager de
désespérer de
donner de la tête contre le mur
être au désespoir
être au plus bas
être atterré
perdre courage
pleurer à chaudes larmes
sombrer dans le désespoir
toucher le fond

Les réactions du personnage : peur, souci, hésitation

La peur, des **noms** pour la nommer

l'affolement
l'alarme
l'angoisse
l'appréhension
la crainte
le désarroi
l'effarouchement
l'effroi
l'épouvante
la frayeur
la frousse
la hantise
l'horreur
la panique
une phobie
la terreur
le trac
la trouille

La peur, des **adjectifs** et des **expressions** pour la caractériser

affolé, affolée
angoissé, angoissée
apeuré, apeurée
effaré, effarée
effarouché, effarouchée
effrayé, effrayée
épouvanté, épouvantée
glacé de peur, glacée de peur
hagard, hagarde
horrifié, horrifiée
livide
mort de peur, morte de peur
pâle comme un linge
paniqué, paniquée
paralysé, paralysée
terrifié, terrifiée
terrorisé, terrorisée
transi, transie

La peur, des **verbes** et des **expressions** pour en parler

s'affoler
s'alarmer
appréhender
avoir des frissons dans le dos
avoir des sueurs froides
avoir l'estomac noué
avoir la chair de poule
avoir la gorge sèche
avoir le cœur qui palpite
avoir le sang figé dans les veines
avoir le souffle coupé
avoir les cheveux qui se dressent sur la tête
avoir une peur bleue
battre le tambour avec les dents

→

claquer des dents
craindre
se dégonfler
devenir livide
s'effrayer
être figé par la peur
être glacé d'épouvante
être muet de terreur
être plus mort que vif
être transi de peur
être vert de peur
frémir
frissonner d'horreur
mourir de peur
pâlir d'effroi
paniquer
parler d'une voix blanche
prendre peur
redouter
rester sans voix
suer d'angoisse
trembler comme une feuille

Le souci, des **noms** pour le nommer

l'agitation
l'anxiété
la contrariété
l'égarement
l'émotion
l'ennui
l'inquiétude
le malaise
la nervosité
la névrose
l'obsession
la préoccupation
le scrupule
le stress
la tension
le tourment
le tracas
le trouble

Le souci, des **adjectifs** pour le caractériser

agité, agitée
alarmé, alarmée
angoissé, angoissée
anxieux, anxieuse
contracté, contractée
crispé, crispée
hanté, hantée
inquiet, inquiète
nerveux, nerveuse
obsédé, obsédée
oppressé, oppressée
préoccupé, préoccupée
soucieux, soucieuse
tendu, tendue
tourmenté, tourmentée
tracassé, tracassée
traqué, traquée
troublé, troublée

Le souci, des **verbes** et des **expressions** pour en parler

avoir les nerfs à vif
être à bout de nerfs
être chiffonné par
être comme un ours en cage
être en proie à une vive anxiété
être fou d'inquiétude
être rongé de soucis
être sur des charbons ardents
être sur les dents
se faire du mauvais sang
s'en faire pour
se faire un sang d'encre
s'inquiéter de
se mettre martel en tête
se miner
se morfondre
se préoccuper de
se ronger les sangs
se soucier de
ne pas tenir en place
se tourmenter
se tracasser pour

L'hésitation, des **noms** pour la nommer

un atermoiement
un balancement
un ballottement
le doute
l'embarras
le flottement
la fluctuation
l'incertitude
l'indécision
l'indétermination
l'irrésolution
le louvoiement
la perplexité
la réticence
le scrupule
la tergiversation
le vacillement
une velléité

L'hésitation, , des **adjectifs** pour la caractériser

ballotté, ballottée
chancelant, chancelante
confus, confuse
défiant, défiante
désorienté, désorientée
dubitatif, dubitative
embarrassé, embarrassée
embêté, embêtée
empêtré, empêtrée
fluctuant, fluctuante
hésitant, hésitante
incertain, incertaine
indécis, indécise
irrésolu, irrésolue
oscillant, oscillante
réservé, réservée
réticent, réticente
velléitaire

L'hésitation, des **verbes** et des **expressions** pour en parler

atermoyer
balbutier
broncher
délibérer
douter
être assis entre deux chaises
être incertain
être entre le zist et le zest
hésiter
s'interroger
manquer d'assurance
osciller
patauger
rester en suspens
ne pas savoir à quel saint se vouer
ne pas savoir où donner de la tête
ne pas savoir sur quel pied danser
sourciller
tâtonner
temporiser
tergiverser
tortiller
vaciller
vasouiller

Les réactions du personnage : haine, colère, indifférence

La haine, des **noms** pour la nommer

l'abomination
l'animosité
l'antipathie
l'aversion
le dégoût
la discorde
l'exécration
la férocité
l'hostilité
l'inimitié
la malveillance
le mépris
la mésentente
la misanthropie
la misogynie
la rancœur
la rancune
la répugnance
la répulsion
le ressentiment
la xénophobie

La haine, des **adjectifs** pour la caractériser

acharné, acharnée
agressif, agressive
aigre
antipathique
désobligeant, désobligeante
farouche
fielleux, fielleuse
haineux, haineuse
hostile
implacable
malveillant, malveillante
méprisant, méprisante
misanthrope
misogyne
rancunier, rancunière
ulcéré, ulcérée
vindicatif, vindicative
xénophobe

La haine, des **verbes** et des **expressions** pour en parler

abhorrer
abominer
avoir en aversion
avoir horreur de
avoir une dent contre
détester
envoyer au diable
être à couteaux tirés avec
être au plus mal avec
exécrer
faire grise mine à
garder sur le cœur
haïr
honnir
maudire
nourrir de la haine pour
pester contre
prendre en grippe
réprouver
répugner à
vouer aux gémonies
vouer une haine mortelle
vouer une haine féroce à
en vouloir à

La colère, des **noms** et des **expressions** pour la nommer

l'acrimonie
l'agacement
une bouffée de colère
le courroux
une crise de nerfs
un déchaînement de fureur
un déferlement de rage
le dépit
l'emportement
l'exaspération
une explosion de rage
la fulmination
la fureur
la furie
la hargne
l'indignation
l'ire
l'irritation
la rage
la révolte
la violence

La colère, des **adjectifs** pour la caractériser

agacé, agacée
aigri, aigrie
choqué, choquée
contrarié, contrariée
courroucé, courroucée
déchaîné, déchaînée
emporté, emportée
enragé, enragée
exaspéré, exaspérée
excédé, excédée
fâché, fâchée
fou furieux, folle furieuse
fulminant, fulminante
furibond, furibonde
furieux, furieuse
hargneux, hargneuse
hérissé, hérissée
impatienté, impatientée
indigné, indiquée
irrité, irritée
outré, outrée
rageur, rageuse
révolté, révoltée
vexé, vexée

La colère, des **verbes** et des **expressions** pour en parler

abandonner à la colère
avoir le sang qui monte à la tête
avoir les yeux brillants de fureur
bondir de rage
bouillir
bouillonner
se déchaîner
ne pas décolérer
ne pas dérager
donner libre cours à sa colère

→

s'échauffer
éclater
écumer de rage
s'emporter
enrager
s'enrager
entrer dans une colère noire
être blême de colère
être cramoisi
être hors de soi
exploser
se fâcher tout rouge
se froisser
fulminer
grincer des dents
s'impatienter
s'irriter
jeter feu et flamme contre
lancer des éclairs
se mettre en boule
se mettre en colère
se mettre en rogne
monter sur ses grands chevaux
pester
piquer une colère
ne plus se posséder
pousser des rugissements
prendre la mouche
rager
râler
se révolter
sortir de ses gonds
suffoquer de rage
tempêter
tonitruer
tonner
trépigner
se vexer
vociférer
voir rouge

L'indifférence, des **noms** pour la nommer

l'abandon
l'apathie
l'assoupissement
le blasement
la désaffection
le désintéressement
la désinvolture
le détachement
l'engourdissement
le flegme
la froideur
l'impassibilité
l'imperméabilité
l'incurie
l'indolence
l'inertie
l'insensibilité
l'insouciance
le laxisme
la négligence
la neutralité
la nonchalance
la passivité
le stoïcisme

L'indifférence, des **adjectifs** pour la caractériser

apathique
blasé, blasée
blindé, blindée
cuirassé, cuirassée
désabusé, désabusée
désintéressé, désintéressée
désinvolte
détaché, détachée
distant, distante
égal, égale
éloigné, éloignée
endurci, endurcie
flegmatique
froid, froide
glacial, glaciale
impassible
imperméable
imperturbable
inaccessible
inattentif, inattentive
indifférent, indifférente
indolent, indolente
inexpressif, inexpressive
insensible
insouciant, insouciante
insoucieux, insoucieuse de
laxiste
neutre
nonchalant, nonchalante
passif, passive
résigné, résignée
stoïque
tiède

L'indifférence, des **verbes** et des **expressions** pour en parler

ne pas en avoir cure
n'en avoir rien à faire
s'en balancer
ne pas broncher
dédaigner
se désintéresser de
se détacher de
s'endurcir
ne faire ni chaud ni froid
faire comme si de rien n'était
faire la sourde oreille
se ficher de
ignorer
laisser de côté
s'en laver les mains
mépriser
se moquer de
se moquer du tiers comme du quart
négliger
se racornir
ne pas réagir
rester de glace
rester de marbre
ne pas sourciller

Pour parler des sentiments, la langue nous fournit aussi des expressions toute faites qu'on appelle "expressions idiomatiques". Certaines sont construites avec les différentes parties du corps, elles sont très évocatrices et donnent souvent à un texte une couleur particulière.

Des **expressions idiomatiques** sur les parties du corps pour traduire les réactions du personnage

Le cœur

y aller d'un cœur léger (faire quelque chose avec insouciance et plaisir)
aller droit au cœur (émouvoir)
avoir à cœur de faire quelque chose (tenir énormément à le faire)
n'avoir de cœur à rien (être découragé)
avoir du cœur à l'ouvrage (travailler avec ardeur)
en avoir gros sur le cœur (être très triste)
avoir le cœur en écharpe (être blessé, offensé)
avoir le cœur en miettes (être blessé, offensé)
avoir le cœur gros (être ému)
avoir le cœur léger (être heureux)
en avoir le cœur net (être éclairé sur un point)
avoir quelque chose sur le cœur (éprouver de la rancune)
briser le cœur (mettre dans la peine)
s'en donner à cœur joie (faire quelque chose avec un extrême plaisir)
donner un coup au cœur (émouvoir)
écouter son cœur (être spontané, sincère)
être de tout cœur avec quelqu'un (être tout à fait solidaire avec lui)
faire battre le cœur (donner des émotions)
faire contre mauvaise fortune bon cœur (se résigner)

→

faire le joli cœur (avoir des manières flatteuses)
faire quelque chose à contre-cœur (le faire malgré soi)
faire quelque chose de gaieté de cœur (le faire de son plein gré et avec plaisir)
faire quelque chose de grand cœur (le faire volontiers et avec joie)
faire taire son cœur (cacher ses émotions)
fendre le cœur (peiner)
gagner le cœur de quelqu'un (s'en faire aimer)
ouvrir son cœur (faire des confidences)
parler à cœur ouvert (parler franchement)
percer le cœur (faire vivement souffrir)
perdre cœur (perdre courage)
porter quelqu'un dans son cœur (l'aimer)
prendre quelque chose à cœur (y prendre un intérêt passionné)
serrer le cœur (rendre triste)
tenir à cœur à quelqu'un (être important pour lui)

La tête

ne pas avoir la tête à ce qu'on fait (être distrait)
ne pas avoir la tête à quelque chose (ne pas être disposé à y prêter attention)
avoir la tête en fête (être joyeux)
en avoir par-dessus la tête (être excédé)
avoir toute sa tête (avoir toute sa raison)
avoir une idée derrière la tête (avoir une intention cachée)
se casser la tête (s'épuiser à chercher une solution, une réponse)
se cogner la tête contre les murs (faire des efforts désespérés qui n'aboutissent à rien)
courber la tête (se soumettre)
crier à tue-tête (crier très fort)
faire la forte tête (être insoumis)
faire la tête (bouder)
n'en faire qu'à sa tête (ne pas tenir compte de l'avis des autres)
faire quelque chose à tête reposée (le faire calmement, en prenant le temps d'y réfléchir)
faire quelque chose sur un coup de tête (le faire impulsivement, sans trop réfléchir)
faire tourner la tête de quelqu'un (l'émouvoir, l'étonner)
foncer tête baissée sur quelque chose (faire quelque chose intensément, sans retenir)
jeter quelque chose à la tête de quelqu'un (lui faire des reproches)
se mettre la tête à l'envers (avoir l'esprit tourmenté par un problème)
se mettre martel en tête (s'inquiéter)
se mettre quelque chose dans la tête (s'imaginer quelque chose)
se monter la tête (s'en faire accroire)
parler avec sa tête (parler avec sa raison et non avec ses sentiments)
se payer la tête de quelqu'un (se moquer de lui)
perdre la tête (ne plus avoir toute sa raison)
ne plus savoir où donner de la tête (être désemparé)
tenir tête (résister)

Les yeux

n'avoir d'yeux que pour quelqu'un (en être épris)
avoir les larmes aux yeux (être ému)
avoir les yeux qui sortent de la tête (être très en colère)
avoir les yeux sur quelqu'un (éprouver de l'attrait pour quelqu'un)
avoir quelqu'un à l'œil (le surveiller étroitement)
caresser des yeux (admirer)
ne pas en croire ses yeux (être étonné et perplexe devant ce qu'on voit)
dévorer des yeux (regarder avec convoitise)
ne dormir que d'un œil (dormir d'un sommeil léger pour être prêt à se réveiller)
être tout yeux tout oreilles (écouter quelqu'un avec une grande attention)
faire de l'œil à quelqu'un (regarder quelqu'un avec un air amoureux)
faire les gros yeux (regarder sévèrement)
faire les yeux doux (regarder tendrement)
ne pas fermer l'œil de la nuit (ne pas avoir dormi de la nuit)
fermer les yeux sur quelque chose (feindre de ne pas le voir)
jeter de la poudre aux yeux (tenter d'éblouir par des apparences)
ouvrir l'œil (exercer une surveillance étroite)
ouvrir les yeux à quelqu'un (lui montrer ce qu'il refuse de voir)
tourner de l'œil (s'évanouir)
voir quelque chose d'un bon œil (y être favorable)

Les cheveux

s'arracher les cheveux (être désespéré)
couper les cheveux en quatre (faire trop de subtilités)
se faire des cheveux gris (se faire du souci)
saisir l'occasion aux cheveux (la saisir rapidement)

La gorge

avoir la gorge serrée (être angoissé)
crier à pleine gorge (crier de toutes ses forces)
faire des gorges chaudes à quelqu'un (se moquer de lui)
prendre quelqu'un à la gorge (le forcer avec violence à faire quelque chose)
rire à gorge déployée (rire sans retenue)

Le nez

avoir le nez fin (être perspicace)
se casser le nez sur quelque chose (subir un échec)
faire un long nez (exprimer du dépit)
fermer la porte au nez (ne pas laisser entrer)
mettre son nez dans les affaires des autres (se mêler de ce qui ne nous regarde pas)
regarder quelqu'un sous le nez (le regarder avec indiscrétion)
rire au nez de quelqu'un (se moquer de lui)
se trouver nez à nez avec quelqu'un (face à face)

Les épaules

changer son fusil d'épaule (changer d'avis)
donner un coup d'épaule (aider, soutenir)
faire quelque chose par-dessus l'épaule (le faire avec négligence)
hausser les épaules (montrer du mépris, de l'indifférence)
regarder les gens par-dessus l'épaule (les regarder avec dédain)

La peau

avoir la peau de quelqu'un (vaincre)
faire peau neuve (changer complètement)
se mettre dans la peau de quelqu'un (ressentir ce qu'il éprouve)
risquer sa peau (risquer sa vie)
sauver sa peau (sauver sa vie)
tenir à sa peau (tenir à sa vie)

Les bras

accueillir quelqu'un à bras ouverts (l'accueillir avec empressement)
allonger le bras (mendier)
avoir quelqu'un sur les bras (en avoir la charge)
baisser les bras (abandonner, renoncer)
croiser les bras (ne rien faire)
jouer les bras forts (intimider les gens)
lever les bras (se rendre)
ouvrir les bras à quelqu'un (lui pardonner)
prêter son bras (aider)
ne vivre que de ses bras (gagner son pain par un travail manuel)

Les mains

ne pas y aller de main morte (intervenir brutalement)
applaudir des deux mains (approuver sans réserve)
donner un coup de main (prêter secours)
faire main basse sur quelque chose (s'en emparer)
forcer la main (obliger à faire quelque chose)
se frotter les mains (se réjouir)
laisser les mains libres à quelqu'un (lui laisser une entière liberté d'agir)
s'en laver les mains (en refuser la responsabilité)
lever la main sur quelqu'un (le frapper)
mettre la dernière main à quelque chose (y apporter la touche finale)
mettre la main à la pâte (collaborer)
mettre la main au collet de quelqu'un (le mettre en état d'arrestation)
prendre quelqu'un la main dans le sac (le prendre en flagrant délit)
prendre quelque chose en main (s'en charger)
tendre la main (mendier)
tendre une main secourable (offrir son aide)
en venir aux mains (se battre)

Les doigts

mettre le doigt dans l'engrenage (s'engager dans une affaire dont on ne pourra plus se tirer)
se mettre le doigt entre l'arbre et l'écorce (être pris entre deux partis adverses)
mettre le doigt sur quelque chose (trouver ce que l'on cherchait)
s'en mordre les doigts (le regretter vivement)
ne pas remuer le petit doigt (ne rien faire pour aider)

Les pieds

attendre quelqu'un de pied ferme (l'attendre avec l'intention de l'affronter)
avoir déjà le pied dehors (être prêt à partir)
casser les pieds à quelqu'un (l'importuner au plus haut point)
couper l'herbe sous les pieds de quelqu'un (le contrecarrer dans ses projets)
faire des pieds et des mains (se démener)
fouler aux pieds (mépriser)
se jeter aux pieds de quelqu'un (le supplier)
se lever du bon pied (être de bonne humeur)
marcher sur le pied de quelqu'un (lui chercher querelle)
mettre les pieds dans les plats (commettre une gaffe)
partir du bon pied (bien commencer)
remettre le pied à l'étrier (aider)
retomber sur ses pieds (bien se tirer d'une affaire difficile)
ne pas savoir sur quel pied danser (ne pas savoir quel parti prendre)
sécher sur pied (être forcé d'attendre)
traîner les pieds (faire quelque chose contre son gré)
trouver chaussure à son pied (rencontrer quelqu'un d'aussi fort, d'aussi autoritaire)

Les jambes

avoir les jambes coupées (ne plus avoir de force)
prendre ses jambes à son cou (fuir)
retrouver ses jambes de vingt ans (redevenir alerte)

Touché par un événement heureux ou malheureux, le personnage principal, après avoir ressenti la peur, la honte ou la fierté, passe à l'action. Il attaque, il se défend, il se réjouit ou il fête mais, dans tous les cas, c'est par le VERBE que s'exprime l'ACTION. Parfois, le verbe seul ne suffit pas, un adverbe est alors tout indiqué pour préciser l'action.

LES ACTIONS DU PERSONNAGE

Florentino Ariza, qui l'épiait émerveillé et la suivait le souffle court, trébucha à plusieurs reprises sur les paniers de la servante qui répondit à ses excuses avec un sourire, et elle passa si près de lui qu'il parvint à percevoir la brise de son parfum.

Gabriel Garcia Marquez

Les actions du personnage : marcher, courir, sauter, des **verbes** et des **expressions** pour en parler

Marcher

arpenter
avancer à pas de loup
se balader
boiter
cheminer
circuler
claudiquer
clopiner
déambuler
errer
faire les cent pas
flâner
marcher allègrement
marcher à grandes enjambées
marcher à petits pas pressés
marcher à tâtons
marcher avec peine
marcher bon train
marcher de long en large
marcher d'un pas lent
patauger
se promener
rôder
traîner la jambe
trotter
trottiner
vagabonder

Courir

accourir
aller comme le vent
avoir des ailes
brûler le pavé
cavaler
courir à bride abattue
courir à fond de train
courir à perdre haleine
courir à toutes jambes
courir comme un chat maigre
courir éperdument
courir ventre à terre
détaler
dévorer l'espace
fendre l'air
fendre la bise
filer à toute allure
filer comme un bolide
filer comme un zèbre
foncer
galoper
pédaler
piquer un cent mètres
se précipiter
sprinter
tricoter des jambes

Sauter

bondir
cabrioler
caracoler
culbuter
danser
s'élancer
enjamber
faire des bonds
faire des cabrioles
faire des entrechats
frétiller
gambader
gigoter
giguer
pirouetter
plonger
rebondir
sauter à cloche-pied
sauter à pieds joints
sauter comme un cabri
sauter de son siège
sauter joyeusement
sauter sur ses pieds
sautiller
sursauter
se trémousser
trépider
trépigner
tressaillir
tressauter

Les actions du personnage : manger, boire, des **verbes** et des **expressions** pour en parler

Manger

absorber
s'alimenter
assouvir sa faim
s'attabler
avaler d'un trait
banqueter
bouffer
calmer sa faim
casser la croûte
chipoter
creuser sa fosse avec ses dents
croquer
déguster
déjeuner
dévorer
dîner
s'empiffrer
enfourner
engloutir
faire bombance
faire bonne chère
faire honneur à un plat
faire ripaille
faire un sort à un plat
festoyer
se gaver
gober tout net
se goberger
se gorger de
goûter
grignoter
gueuletonner
ingérer
ingurgiter
manger à la bonne franquette
manger à la fortune du pot
manger à satiété
manger avec voracité
manger comme quatre
manger comme un loup
manger comme un moineau
manger comme un ogre
manger du bout des lèvres
manger gloutonnement
manger goulûment
manger sur le pouce
manger un morceau
mordre à belles dents
se nourrir
picorer
pignocher
pique-niquer
prendre le repas
prendre une collation
se rassasier
se régaler de
remplir son jabot
se repaître
se restaurer
réveillonner
savourer
souper aux chandelles
se sustenter de

Boire

absorber
arroser
s'aviner
boire à grandes goulées
boire à la régalade
boire à longs traits
boire à petites gorgées
boire à petits traits
boire avidement
boire comme une éponge
buvoter
choquer les verres
se désaltérer
s'enivrer
étancher sa soif
faire cul sec
faire de joyeuses libations
s'humecter le gosier
ingurgiter
lamper
laper
lever le coude
porter un toast
prendre une cuite
se rafraîchir
se rincer le gosier
sabler le champagne
se saouler
siroter
trinquer

Les actions du personnage : voir et regarder, entendre et écouter, des **verbes** et des **expressions** pour en parler

Voir et regarder

admirer
apercevoir
arrêter son regard sur
assister à (un spectacle)
attacher son regard sur
aviser

→

boire des yeux
braquer les yeux sur
caresser du regard
coller ses yeux sur
considérer
consulter du regard
contempler
couver des yeux
darder son regard sur
décocher une œillade
dévisager
dévorer des yeux
discerner
distinguer
dominer du regard
embrasser du regard
entr'apercevoir
entrevoir
envisager
être témoin de
examiner
faire les yeux doux à
fixer
fouiller du regard
inspecter
jauger du regard
jeter un coup d'œil sur
lorgner
loucher sur
noter
observer
parcourir des yeux
poser son regard sur
promener son regard sur
ne pas quitter des yeux
regarder
regarder à la dérobée
regarder amoureusement
regarder attentivement
regarder avec convoitise
regarder avec curiosité
regarder avec insistance
regarder avec tendresse
regarder de travers
regarder discrètement
regarder droit dans les yeux
regarder fixement
regarder furtivement
regarder timidement
reluquer
remarquer
repaître ses yeux de
repérer
saisir du regard
scruter
suivre des yeux
surprendre
toiser avec mépris
visionner (un film)
visiter
voir confusément
voir de ses propres yeux
voir distinctement

Entendre et écouter

auditionner (un artiste)
ausculter
boire les paroles de
coller son oreille aux portes
discerner
distinguer
dresser l'oreille
écouter attentivement
écouter avec recueillement
écouter distraitement
entendre avec peine
être à l'écoute
être pendu aux lèvres de
être tout oreilles
être tout ouïe
ouvrir les oreilles
prêter l'oreille
tendre l'oreille

Les actions du personnage : parler, se taire, des **verbes** et des **expressions** pour en parler

Parler

s'adresser à
adresser la parole à
babiller
badiner
bafouiller
baragouiner
baratiner
bavarder
bavasser
bonimenter
bredouiller
cancaner
causer un brin
chevroter
chuchoter
claironner
commérer
converser
déparler
desserrer les dents
détacher ses syllabes
dialoguer
discourir
discuter
disserter
divaguer
s'écouter parler
élever la voix
s'entretenir avec
s'exprimer
faire la causette
faire un brin de causette
gazouiller

jargonner
jaser
médire
monologuer
murmurer
ouvrir la bouche
papoter
parler à bâtons rompus
parler à cœur ouvert
parler à la cantonade
parler à mots couverts
parler à tort et à travers
parler à voix basse
parler avec déférence
parler avec éloquence
parler avec émotion
parler avec insolence
parler avec volubilité
parler comme un livre
parler crûment
parler d'abondance
parler distinctement
parler du nez
parler entre ses dents
parler inlassablement
parler ironiquement
parler nerveusement
parler par allusions
parler par sous-entendus
parler poliment
parler pompeusement
parler pour ne rien dire
parler rageusement
parler sagement
parler sèchement
parler tendrement
parler vulgairement
pérorer
pontifier
prendre la parole
rabâcher
radoter
rompre le silence
soliloquer
tenir des propos déplacés
tenir des propos malveillants
tenir des propos sensés
traiter de

Se taire

avoir avalé sa langue
avoir perdu la parole
avoir perdu sa langue
demeurer bouche close
demeurer bouche cousue
ne pas desserrer les dents
ne dire mot
ne pas dire un traître mot
s'éteindre
être au bout de son latin
être muet comme une carpe
faire silence
garder le silence
observer le silence
rester bouche bée
rester coi
rester interdit
rester sans voix
ne pas souffler mot
se tenir coi
tenir sa langue

Les actions du personnage : nettoyer, se laver, salir, des **verbes** et **expressions** pour en parler

Nettoyer

aseptiser
assainir
astiquer
balayer
blanchir
curer
débourber
décanter
décontaminer
dégraisser
dépoussiérer
désinfecter
détacher
entretenir
épousseter
épurer
expurger
faire le ménage
faire reluire de propreté
filtrer
laver
lessiver
pasteuriser
purger
purifier
récurer
rincer
sarcler
savonner
stériliser
tamiser
tenir propre
toiletter

Se laver

se baigner
se bichonner
se brosser les dents
se curer les ongles
se débarbouiller
se décrasser
se doucher
faire sa toilette
faire ses ablutions
faire une grande toilette
faire une toilette rapide
se laver à grande eau
passer à la douche
se pomponner
prendre un bain
prendre une douche
se récurer
se savonner

Salir

barbouiller
contaminer
crotter
déshonorer
diffamer
éclabousser
embourber
encrasser
flétrir
infecter
maculer
noircir
poisser
polluer
souiller
tacher
ternir
troubler

Les actions du personnage : remuer, s'arrêter, des **verbes** et des **expressions** pour en parler

Remuer

s'agiter
se balancer
basculer
bouger
broncher
chanceler
se dandiner
se démener
dodeliner de
s'ébattre
s'exciter
flageoler
flotter
fluctuer
frémir
frétiller
frissonner
gesticuler
gigoter
grouiller
osciller
piaffer
remuer nerveusement
remuer prestement
se secouer
sursauter
tanguer
tituber
se tortiller
tourbillonner
tournoyer
trembler
se trémousser
trépider
tressauter
vaciller

S'arrêter

s'ankyloser
s'arrêter abruptement
s'arrêter brusquement
s'arrêter net
s'arrêter subitement
s'attarder
attendre
cesser
se changer en statue
devenir de marbre
être sous le choc
s'évanouir
faire étape
faire une halte
faire relâche
faire une pause
se figer
se fixer
se glacer
s'immobiliser
s'interrompre
observer un délai
se pétrifier
se raidir
reprendre haleine
rester cloué sur place
rester interdit
souffler un peu
se stabiliser
terminer

Les actions du personnage : entrer, sortir, des **verbes** et des **expressions** pour en parler

Entrer

accéder à
adhérer à
s'affilier à
avoir accès à
se couler dans
s'enfoncer dans
s'engager dans
s'engouffrer dans
envahir
faire irruption dans
faire une percée dans
se faufiler parmi
se frayer un passage dans
se glisser dans
s'immiscer dans
s'incorporer à
s'infiltrer dans
s'ingérer dans
s'insérer dans
s'insinuer dans
s'intégrer à
s'introduire dans
investir
se mêler à
mettre les pieds dans
pénétrer dans
plonger dans

Sortir

déboucher sur
se dégager
se dépêtrer
s'échapper
s'éclipser
émerger
s'esquiver
s'évader
s'extirper
s'extraire
jaillir
mettre le nez dehors
quitter
quitter en catimini
se retirer
se sortir difficilement de
sortir discrètement
sortir précipitamment
sortir sur la pointe des pieds
surgir
se tirer de

Les actions du personnage : arriver, partir, voyager, des **verbes** et des **expressions** pour en parler

Arriver

aborder
accéder à
accoster
amarrer
s'amener
approcher
arriver à brûle-pourpoint
arriver à l'improviste
arriver à propos
arriver comme un cheveu sur la soupe
arriver en trombe
arriver mal à propos
arriver sans prévenir
arriver tard
arriver tôt
atterrir
débarquer
descendre de l'avion
descendre du train
faire son entrée
montrer le nez
se pointer
se présenter
rappliquer
regagner ses pénates
rentrer chez soi
surgir
survenir
tomber bien
tomber du ciel
tomber mal
venir à point

Partir

s'en aller
brûler la politesse
s'éclipser
s'éloigner
émigrer
s'esquiver
évacuer les lieux
s'exiler
faire son balluchon
fausser compagnie à
filer à l'anglaise
lever le camp
partir en douce
partir furtivement
partir nuitamment
partir précipitamment
prendre congé de
prendre la clef des champs
prendre la porte
prendre le large
quitter
se retirer
tirer sa révérence
vider les lieux

Voyager

aller à la découverte
aller par monts et par vaux
aller par quatre chemins
battre le pays
bourlinguer
changer d'air
courir le monde
croiser les mers
découvrir
se dépayser
errer de par le monde
être en vadrouille
explorer le monde
faire du chemin
faire le tour du monde
faire un périple
naviguer
partir à l'aventure
passer chemin
pérégriner
rouler sa bosse
sillonner les cinq continents
traîner çà et là
vagabonder
visiter le monde
voir du pays
voyager à pied

Les actions du personnage : jouer, se reposer, des **verbes** et des **expressions** pour en parler

Jouer

s'amuser allègrement
s'amuser follement
badiner
batifoler
se changer les idées
se dérider
se désennuyer
se distraire
se divertir
s'ébattre
s'ébaudir
s'ébrouer
s'éclater
s'égayer
se faire du bon sang
fêter
folâtrer
interpréter
jouer avec excitation
jouer avec insouciance
jouer honnêtement
s'occuper à des riens
passer le temps
plaisanter
prendre du bon temps
se récréer
se réjouir

Se reposer

s'assoupir
se délasser
dételer
se détendre
dormir à poings fermés
dormir comme une bûche
dormir comme une marmotte
dormir comme un loir
dormir du sommeil du juste
dormir profondément
être dans les bras de Morphée
faire halte
faire la sieste
faire le tour du cadran
faire un somme
faire une pause
se prélasser
prendre du repos
récupérer
se relaxer
reprendre haleine
roupiller
sommeiller
souffler un peu

Les actions du personnage : travailler, paresser, des **verbes** et des **expressions** pour en parler

Travailler

abattre de la besogne
s'atteler à l'ouvrage
besogner
bricoler
bûcher
se crever au travail
s'échiner
se faire mourir à l'ouvrage
œuvrer
piocher
potasser
suer sang et eau
travailler avec acharnement
travailler comme un bœuf
travailler comme un esclave
travailler comme un forçat
travailler comme un galérien
travailler comme une bête de somme
travailler d'arrache-pied
travailler fébrilement
travailler méticuleusement
travailler mollement
travailler longuement
travailler paresseusement
travailler sans cesse
trimer dur
se tuer à la tâche
se tuer au travail

Paresser

s'avachir
avoir une aversion pour le travail
avoir un poil dans la main
baguenauder
bayer aux corneilles
se la couler douce
craindre sa peine
se croiser les bras
croupir dans son coin
fainéanter
faire la grasse matinée
ne pas faire œuvre de ses dix doigts
flâner
flemmarder
lanterner
ne pas lever le petit doigt
lézarder
musarder
regarder les mouches voler
se goberger
tirer au flanc
se tourner les pouces
traînasser
traîner la savate

Les actions du personnage : montrer, cacher, des **verbes** et des **expressions** pour en parler

Montrer

arborer
déballer
découvrir
dégager
dénuder
dépouiller
désigner
dévêtir
dévoiler
étaler
exhiber
exposer
faire apparaître
faire montre de
faire preuve de
faire ressortir
faire voir
illustrer
indiquer
manifester
mettre à nu

→

mettre au grand jour
mettre en évidence
mettre en valeur
mettre en vedette
mettre sous les yeux
montrer impudiquement
présenter
représenter
révéler

Cacher

abriter
camoufler
déguiser
dérober aux regards
dissimuler
éclipser
embusquer
enfouir
enserrer
escamoter
faire disparaître
faire le silence sur
farder la vérité sur
garder le secret sur
garder pour soi
masquer
mettre dans l'ombre
mettre sous clef
mettre sous le boisseau
obscurcir
occulter
receler
recouvrir
sceller
soustraire à la vue
subtiliser
voiler

Les actions du personnage : tomber, blesser, des **verbes** et des **expressions** pour en parler

Tomber

s'abattre
s'affaisser
s'affaler
s'allonger
s'aplatir
basculer
buter sur
se casser la figure
chuter
culbuter
débouler
dégringoler
dévaler
s'écrouler
s'effondrer
s'étaler
faire un faux pas
faire une chute
glisser
mordre la poussière
perdre l'équilibre
perdre pied
piquer une tête
plonger
tomber à la renverse
tomber de haut
trébucher

Blesser

abîmer
accidenter
amocher
balafrer
blesser à mort
blesser accidentellement
blesser gravement
blesser grièvement
blesser involontairement
blesser légèrement
blesser mortellement
blesser par mégarde
blesser superficiellement
causer une lésion
contusionner
couper
cribler de blessures
écharper
écorcher
égratigner
entailler
s'érafler
estropier
faire des bleus à
faire une cicatrice à
se faire une entorse
fouler
fracturer
griffer
léser
luxer
meurtrir
molester
mutiler
pocher (un œil)
tuméfier

Les actions du personnage : pleurer, crier, rire, des **verbes** et des **expressions** pour en parler

Pleurer

avoir le visage baigné de pleurs
brailler
braire
chialer
éclater en sanglots
fondre en larmes
geindre
gémir sur
laisser couler ses larmes
se lamenter sur
larmoyer
se plaindre
pleurer à chaudes larmes
pleurer amèrement
pleurer comme une Madeleine
pleurer de dépit
pleurer de joie
pleurer de rage
pleurer toutes les larmes de son corps
pleurnicher
répandre des larmes
sangloter
vagir
verser des larmes

Crier

aboyer
beugler
brailler
clabauder
criailler
crier à pleine gorge
crier à tue-tête
crier comme un damné
crier comme un enragé
crier comme un forcené
crier comme un fou
crier comme un perdu
crier comme un putois
crier comme un veau
s'égosiller
s'époumoner
gueuler
hurler
invectiver
jeter les hauts cris
jeter un cri
pousser des cris
rugir
tempêter
tonitruer
tonner
vociférer

Rire

avoir le fou rire
badiner
se bidonner
se dérider
se dilater la rate
éclater de rire
s'esclaffer
faire des gorges chaudes
se gondoler
se marrer
mourir de rire
se pâmer de rire
pouffer
rigoler
rire à en perdre haleine
rire à gorge déployée
rire aux anges
rire aux éclats
rire aux larmes
rire comme un fou
rire comme une baleine
rire de toutes ses dents
rire dans sa barbe
rire de bon cœur
rire jaune
rire sous cape
se tordre de rire

Les actions du personnage : mourir, tuer, des **verbes** et des **expressions** pour en parler

Mourir

agoniser
s'en aller
casser sa pipe
cesser de vivre
crever
décéder
descendre dans la tombe
s'éteindre
être emporté
exhaler son âme
expirer
faire le grand saut
faire le grand voyage
fermer les paupières
finir ses jours
mourir à la tâche
mourir à petit feu
mourir accidentellement
mourir d'inanition
mourir de sa belle mort
mourir de vieillesse
mourir en héros
mourir en odeur de sainteté
mourir jeune
mourir pour la patrie
mourir saintement
mourir subitement
mourir vieux
partir
passer
passer dans l'autre monde
passer de vie à trépas
passer le pas
perdre la vie
périr
quitter ce monde
quitter cette vallée de larmes
rendre l'esprit
rendre le dernier souffle
succomber
tomber au champ d'honneur
tomber raide mort
trépasser
trouver la mort
verser son sang

Tuer

abattre
achever
anéantir
assassiner
avoir la peau de
se débarrasser de
décapiter
décimer
descendre
donner la mort à
donner le coup de grâce à
égorger
éliminer
empoisonner
étrangler
éventrer
exécuter
expédier
exterminer
faire couler le sang
faire justice
faire périr
faucher
foudroyer
fusiller
guillotiner
immoler
lapider
liquider
lyncher
massacrer
mettre à mort
mettre hors d'état de nuire
ôter la vie à
passer au fil de l'épée
passer par les armes
pendre
poignarder
régler son compte à
supplicier
supprimer
trancher le cou

Les actions du personnage : penser, écrire, raconter, des **verbes** et des **expressions** pour en parler

Penser

s'absorber dans ses pensées
s'abstraire
calculer mentalement
caresser une idée
cogiter
se concentrer
délibérer
émettre une pensée
imaginer
méditer
penser distraitement
penser en silence

→

penser intuitivement
penser juste
penser logiquement
penser naïvement
penser rêveusement
penser subtilement
penser tout haut
se plonger dans ses pensées
raisonner
se recueillir
réfléchir
ressasser ses pensées
rêvasser
rêver
ruminer des idées
songer
spéculer
supputer

Écrire

barbouiller
calligraphier
composer
consigner par écrit
copier
crayonner
écrire en prose
écrire en vers
écrire lisiblement
écrivailler
gratter le papier
gribouiller
griffonner
inscrire
libeller
marquer
noter
orthographier
publier
recopier
récrire
rédiger
tracer
transcrire

Raconter

chanter (des exploits)
conter
débiter
décrire
dépeindre
détailler
expliquer
exposer
faire l'historique de
faire le récit de
faire un rapport sur
faire voir
mettre sous les yeux
narrer
peindre
raconter à grands traits
raconter en détail
raconter fidèlement
raconter par le menu
raconter succinctement
rappeler les faits
rapporter
réciter
reconstituer
relater
rendre compte de
représenter
retracer
révéler
témoigner de

Les actions du personnage : aider, nuire, protéger, des **verbes** et des **expressions** pour en parler

Aider

aider financièrement
apporter sa contribution à
apporter son appui à
appuyer
assister
s'associer à
assumer la charge de
collaborer
concourir à
conforter
conseiller
consoler
contribuer à
coopérer avec
dépanner
donner du renfort à
donner sa contribution à
donner un coup de main à
s'entraider
épauler
faciliter
faire cause commune avec
favoriser
fournir sa part d'efforts
guider
mettre la main à la pâte
participer à
patronner
pistonner
porter secours à
pousser la roue
prendre part à
prendre soin de

prêter assistance à
prêter l'épaule à
prêter main-forte à
prêter sa collaboration à
prêter son bras à
prêter son concours à
prêter une main secourable à
remettre à flot
remettre en selle
rendre service à
renflouer
sauver
seconder
se serrer les coudes
se solidariser
soutenir
subvenir aux besoins de
subventionner
suppléer
tendre la main à
tendre la perche à
tirer d'embarras
tirer une épine du pied
unir ses efforts avec
venir à la rescousse de
venir au secours de
venir en aide à

Nuire

s'acharner contre
aller à l'encontre de
barrer la route à
bloquer
brouiller les cartes
compromettre
contrarier
contrecarrer
couper l'herbe sous le pied à
défavoriser
déranger
désavantager
desservir
donner du fil à retordre à
donner un croc-en-jambe à
se dresser contre
embarrasser
empêcher
entraver
faire de l'obstruction
faire des embarras à
faire du tort à
faire obstacle à
faire un mauvais parti à
gêner
harceler
importuner
incommoder
indisposer
léser
lier les mains à
marcher sur les pieds de
médire de
mettre des bâtons dans les roues à
se mettre en travers de
se mettre sur le chemin de
obstruer le chemin de
s'opposer à
porter atteinte à
porter ombrage à
porter préjudice à
s'en prendre à
semer la zizanie
susciter des difficultés à
tourmenter

Protéger

abriter
appuyer
assister
blinder
conserver
couvrir
cuirasser
défendre
entretenir
épauler
escorter
favoriser
fortifier
garantir
garder
immuniser
intercéder pour
intervenir en faveur de
mettre à couvert
mettre à l'abri
munir contre
parer contre
prémunir contre
prendre soin de
prendre sous sa protection
prendre sous son aile
préserver
renforcer
sauvegarder
servir de bouclier à
servir de paravent à
soutenir
veiller sur

Les actions du personnage : reprocher, approuver, des **verbes** et des **expressions** pour en parler

Reprocher

accuser
admonester
avertir
blâmer
censurer
chanter pouilles à
chapitrer
condamner
conspuer
corriger
critiquer
décrier
déplorer
désapprouver
désavouer
dire son fait à
disputer
enguirlander
éreinter
faire grief de
faire la leçon à
faire le procès de
faire une remontrance à
flétrir
fustiger
gourmander
gronder
houspiller
huer
imputer à
incriminer
infliger un blâme à
s'inscrire en faux contre
jeter la pierre à
mettre en garde
mettre au pas
morigéner
protester contre
rabrouer
remettre à sa place
rappeler à l'ordre
reprendre
réprimander vertement
reprocher formellement à
reprocher sévèrement à
reprocher vivement à
réprouver
répudier
semoncer
stigmatiser
tancer
tirer les oreilles à
trouver à redire à
vitupérer

Approuver

abonder dans le sens de
acclamer
accréditer
acquiescer
adhérer à
admettre
adopter
agréer
applaudir à
approuver entièrement
approuver hautement
approuver sans réserve
appuyer
autoriser
avaliser
battre des mains
célébrer les mérites de
complimenter
confirmer
congratuler
consentir
donner son adhésion à
donner son appui à
donner son suffrage à
donner carte blanche à
encourager
entériner
entrer dans les vues de
être favorable à
faire cause commune avec
féliciter
flatter
fortifier
justifier
homologuer
laisser carte blanche à
laisser les mains libres à
opiner du bonnet
préconiser
prôner
se rallier à
ratifier
recommander
reconnaître
se réjouir de
rendre hommage à
renforcer
sanctionner
soutenir
valider
voir d'un bon œil

Les actions du personnage : préparer, réussir, échouer, des **verbes** et des **expressions** pour en parler

Préparer

amorcer
aplanir
apprêter
arranger
calculer
caresser (un projet)
combiner
concerter
concevoir
concocter
conspirer
déblayer
débrouiller
défricher
dégrossir
disposer
dresser des plans
ébaucher
échafauder
élaborer
frayer le chemin à
goupiller
intriguer
manigancer
ménager
mettre au point
mettre sur pied
mijoter
mitonner
monter (une affaire, un coup)
mûrir (un projet)
orchestrer
organiser
ourdir
ouvrir la voie à
planifier
poser les fondements de
préméditer
préparer soigneusement
ruminer (un projet)
tramer
travailler à

Réussir

aboutir
arriver à
arriver en haut de l'échelle
atteindre son but
avoir la cote
avoir la main heureuse
avoir le monde à ses pieds
avoir le vent dans les voiles
avoir un succès fou
chanter victoire
se couvrir de lauriers
l'emporter sur
être en vogue
faire des étincelles
faire fortune
faire fureur
faire mouche
faire sa place au soleil
faire son chemin
mener à bien
mener à bonne fin
obtenir un immense succès
parvenir à
prospérer
réaliser
remporter un vif succès
réussir aisément
réussir avec brio
réussir haut la main
réussir magistralement
réussir non sans peine
réussir sans effort
tenir l'affiche
se tirer d'affaire
triompher
voler de succès en succès

Échouer

accoucher d'une souris
achopper sur
aller à la dérive
aller à sa perte
aller au tapis
avoir le dessous
cafouiller
se casser le nez
se casser les dents
courir à l'échec
échouer lamentablement
s'écrouler
s'effondrer
essuyer de cruels déboires
essuyer un cuisant revers
essuyer un échec retentissant
être en rade
être loin de son compte
faillir
faire chou blanc
faire fiasco
faire long feu
faire naufrage
finir mal
se heurter à un mur
jouer de malheur
manquer son coup
miser sur le mauvais cheval
mordre la poussière
perdre l'étrier
perdre la partie
rater son coup
rentrer bredouille
rester en plan
rester le bec dans l'eau
sombrer
subir un échec
succomber
tomber à plat

Les actions du personnage : prévoir, oublier, des **verbes** et des **expressions** pour en parler

Prévoir

annoncer
appréhender
s'attendre à
avancer à pas comptés
conjecturer
devancer
deviner
s'entourer de précautions
entrevoir
envisager
être sur ses gardes
flairer
imaginer
marcher sur des œufs
se méfier de
mettre en garde contre
organiser à l'avance
parer d'avance à
planifier
se pourvoir de
prédire
préméditer
se prémunir contre
prendre garde
prendre les devants
prendre ses précautions
pressentir
présumer
prévenir
projeter
programmer
pronostiquer
prophétiser
redouter
soupçonner
subodorer
supposer
vaticiner
voir venir

Oublier

ne plus avoir en tête
cesser de penser à
chasser de son esprit
délaisser
désapprendre
se désintéresser de
se distraire
effacer
enterrer
étouffer
ne pas garder en mémoire
jeter aux oubliettes
laisser de côté
laisser tomber
manquer à
négliger de
noyer son chagrin
omettre
oublier par inadvertance
ne pas penser à
perdre la mémoire de
perdre le fil
perdre le souvenir de
renier

Les actions du personnage : attaquer, fuir, résister, des **verbes** et des **expressions** pour en parler

Attaquer

s'abattre sur
affronter
agresser
assaillir
attaquer à l'improviste
attaquer brusquement
attenter à
charger
commencer les hostilités
défier
donner l'assaut
engager le combat
foncer sur
fondre sur
injurier
insulter
invectiver
se jeter sur
se lancer sur
ouvrir le feu
passer à l'attaque
passer à l'offensive
porter le premier coup
pourfendre
se précipiter sur
s'en prendre à
prendre à partie
se ruer sur
sauter à la gorge de
tomber

Fuir

avoir le diable à ses trousses
battre en retraite
se débiner
décamper
déguerpir
détaler comme un lapin
disparaître
se disperser en désordre
s'éclipser
s'égailler
s'enfuir
s'esquiver
fuir honteusement
fuir lâchement
fuir sans demander son reste
plier bagage
prendre la clef des champs
prendre la fuite
prendre la poudre d'escampette
prendre le large
prendre ses jambes à son cou

Résister

s'arc-bouter
brandir l'étendard de la révolte
se cabrer
ne pas céder d'une semelle
contester
contre-attaquer
se débattre
se défendre
se dresser contre
entrer en lutte contre
faire front contre
fomenter une sédition
s'insurger contre
lutter contre
se montrer inexorable
se montrer intraitable
se mutiner
prendre le maquis
protester contre
se raidir contre
se rebeller contre
regimber contre
résister courageusement
résister désespérément
se révolter contre
riposter
se soulever contre
soutenir le choc
tenir ferme
tenir tête à

Les actions du personnage : battre, se battre, des **verbes** et des **expressions** pour en parler

Battre

administrer une correction
assener des coups
battre sauvagement
bourrer de coups
brutaliser
cribler de coups
étriller
faire un mauvais parti à
faire voir les étoiles de jour
flanquer une raclée à
frapper à bras raccourcis
malmener
maltraiter
molester
porter la main sur
rosser
rouer de coups
tabasser

Se battre

s'apostropher
se bagarrer
batailler
se battre avec acharnement
se battre comme chiens et chats
se battre comme des chiffonniers
se battre comme des enragés
se battre comme des furies
battre le fer
se casser la figure
se chamailler
choquer les épées

→

se colleter
combattre
se crêper le chignon
croiser le fer
se disputer
échanger des coups
s'empoigner
engager les hostilités
être en guerre
faire la guerre
guerroyer
jouer des poings
se livrer à un duel
livrer bataille
lutter
se prendre aux cheveux
se quereller
en venir aux mains

Les actions du personnage : vaincre, perdre, des **verbes** et des **expressions** pour en parler

Vaincre

assujettir
avoir l'avantage sur
conquérir
défaire
détrôner
écraser
l'emporter sur
enfoncer
évincer
gagner la bataille
mettre hors d'état de nuire
mettre hors de combat
remporter la victoire
se rendre maître de
renverser
soumettre
triompher de
venir à bout de

Perdre

abandonner
abdiquer
avoir le dessous
s'avouer vaincu
capituler
déposer les armes
échouer
essuyer un revers
essuyer une défaite
hisser le drapeau blanc
lâcher pied
mettre pavillon bas
mordre la poussière
perdre du terrain
perdre la bataille
perdre honteusement
se rendre
rendre les armes
renoncer à combattre
se résigner
se soumettre

Les actions du personnage : offenser, s'excuser, des **verbes** et des **expressions** pour en parler

Offenser

atteindre dans sa dignité
blesser
brimer
brusquer
chiffonner
choquer
contrarier
faire affront à
faire de la peine à
froisser
heurter
humilier
indigner
insulter
irriter
manquer de respect envers
manquer de tact avec
mortifier
offusquer
outrager
piquer au vif
scandaliser
ulcérer
vexer

S'excuser

s'accuser de
battre sa coulpe
se confondre en excuses
crier merci
demander grâce
demander miséricorde
demander pardon
éprouver du remords
s'excuser humblement
s'excuser sincèrement
exprimer ses regrets à
faire amende honorable
se frapper la poitrine
implorer le pardon de
se jeter aux pieds de
se mettre à genoux devant
pleurer amèrement sa faute
présenter ses humbles excuses
se racheter auprès de
regretter sa faute
réparer ses torts
se repentir de
solliciter le pardon de
s'en vouloir de

Les actions du personnage : se venger, pardonner, des **verbes** et des **expressions** pour en parler

Se venger

châtier
condamner
crier vengeance
exercer des représailles contre
exiger réparation
faire justice
faire payer à
faire un exemple
foudroyer
infliger une correction à
infliger une peine à
laver un outrage
laver une injure
prendre sa revanche
punir
réclamer vengeance
rendre à qqn la monnaie de sa pièce
rendre la pareille à
sanctionner
sévir contre
tirer vengeance de
user de représailles contre

Pardonner

absoudre
acquitter
amnistier
avoir pitié de
commuer la peine de
délier de
disculper (de)
effacer l'offense
épargner
excuser
faire acte de clémence
faire crédit à
faire grâce à
fermer les yeux sur
ne pas garder rancune à
gracier
se laisser fléchir
se montrer magnanime
oublier les offenses
ouvrir les bras
pardonner de bonne grâce
pardonner avec magnanimité
pardonner du fond de son cœur
pardonner généreusement
pardonner sincèrement
passer l'éponge sur
passer sur
remettre la peine
tenir quitte de
ne pas tenir rigueur de

Les actions du personnage : tromper, se tromper, trahir, des **verbes** et des **expressions** pour en parler

Tromper

abuser
arnaquer
attraper
berner
circonvenir
donner le change à
duper
éblouir
échauder
emberlificoter
embobiner
enjôler
escroquer
faire accroire à
faire marcher
faire tomber dans un traquenard
falsifier
feindre de
filouter
flouer
frauder
induire en erreur
jeter de la poudre aux yeux à
jouer la comédie
jouer un tour à
leurrer
mener en bateau
mentir
monter un bateau à
mystifier
posséder
rouler
ruser
séduire
simuler
suborner
trahir
tricher
tromper avec une ruse consommée
tromper habilement
tromper honteusement
tromper sciemment

Se tromper

s'abuser
avoir la berlue
avoir tort
commettre une bévue
commettre une erreur
confondre
croire naïvement
ne se douter de rien
s'égarer
errer
être dupe de
faillir
se faire attraper
se faire des illusions
se faire échauder
faire fausse route
se faire posséder
faire une bourde
se fourvoyer
gober
s'illusionner
se laisser berner
se laisser duper
se laisser piéger
se laisser prendre à
marcher
se mentir
se méprendre
mordre à l'hameçon
perdre le nord
prendre des vessies pour des lanternes
prendre pour argent comptant
se tromper bêtement
se tromper comme un débutant
se tromper grossièrement
se tromper lourdement
tomber dans le panneau
n'y voir que du feu

Trahir

changer son fusil d'épaule
déballer le paquet
se dédire
se défiler
dénoncer
divulguer
doubler
faire faux bond
fausser compagnie à
frapper au-dessous de la ceinture
frapper par-derrière
laisser tomber
livrer
manquer à sa parole
moucharder
se parjurer
passer à l'ennemi
passer à table
renier
reprendre sa parole
retourner sa veste
se rétracter
révéler
rompre son engagement
signaler
tricher
tromper
vendre
vendre la mèche
virer de bord

Les actions du personnage : désirer, chercher, trouver, des **verbes** et des **expressions** pour en parler

Désirer

ambitionner
appeler de tous ses vœux
aspirer à
avoir à cœur de
avoir dans l'idée de
avoir envie de
briguer
brûler d'envie de
brûler du désir de
se consumer de désir pour
convoiter
désirer ardemment
désirer avidement
désirer instamment
désirer obstinément
désirer vivement
envier
espérer
exiger
languir après
mourir d'envie de
poursuivre
prétendre à
rechercher
rêver de
souhaiter
soupirer après
tenir à
viser à
vouloir

Chercher

aller à la recherche de
battre la campagne
battre les bois
chercher à l'aveuglette
chercher à tâtons
chercher méthodiquement
chercher par monts et par vaux
chercher patiemment
s'efforcer de trouver
enquêter sur
être en quête de
examiner
explorer
faire une battue
farfouiller
fouiller
fouiner
fureter
inspecter
investiguer
partir à la découverte de
passer au crible

→

passer au peigne fin
perquisitionner
prospecter
ratisser
rechercher
scruter
sonder
traquer

Trouver

circonscrire
déceler
déchiffrer
découvrir
découvrir le fin mot de l'histoire
dégager
délimiter
démasquer
dénicher
dépister
détecter
deviner
discerner
élucider
exhumer
faire la découverte de
faire une trouvaille
localiser
mettre au jour
mettre la main sur
mettre le doigt sur
percer
recenser
reconnaître
repérer
trouver du premier coup
trouver le pot aux roses
trouver par déduction
trouver par hasard
trouver sans difficulté

Les actions du personnage : prendre, donner, demander, des **verbes** et des **expressions** pour en parler

Prendre (et voler)

accaparer
agripper
s'approprier
arracher
attraper
s'attribuer
butiner
cambrioler
capturer
chaparder
chiper
confisquer
délester de
déposséder
dépouiller
dérober
détrousser
dévaliser
s'emparer de
empoigner
emporter
enlever
escamoter
escroquer
extorquer
faire main basse sur
faucher
flouer
glaner
intercepter
marauder
piller
piquer
prélever
prendre furtivement
puiser
rafler
ramasser
rapiner
ravir
resquiller
saisir
se saisir de
soustraire à
soutirer
subtiliser
usurper
voler

Donner

accorder à
adjuger à
allouer à
apporter à
attribuer à
céder à
combler de
conférer à
décerner à
se départir de
se dépouiller de
dispenser à
distribuer à
donner en partage
doter de
faire don de
faire cadeau de
faire l'aumône
faire la charité
fournir
gratifier de
léguer à
octroyer à
offrir à
procurer à
prodiguer
produire
remettre à
tendre à
transmettre à

Demander

adjurer de
adresser une demande à
commander de
conjurer de
demander à cor et à cri à
demander à genoux à
demander humblement à
demander impérativement à
demander instamment à
demander poliment à
désirer
enjoindre de
exiger de
exposer une demande à
faire appel à
implorer
mendier à
ordonner de
prescrire de
présenter une demande à
présenter une requête à
prier de
quémander à
réclamer à
redemander à
réquisitionner
revendiquer
signer une pétition
solliciter auprès de
sommer de
souhaiter
supplier de
vouloir

Les actions du personnage : commencer, finir, des **verbes** et des **expressions** pour en parler

Commencer

aborder
amorcer
attaquer
s'attaquer à
s'atteler à
débuter
déclencher
démarrer
donner le coup d'envoi à
donner le signal à
ébaucher
entamer
entonner (une chanson)
entreprendre
esquisser
étrenner
faire les premiers pas
faire ses premières armes
se lancer dans
se mettre à
mettre en branle
mettre la main à l'œuvre
mettre en chantier
mettre en train
ouvrir (une discussion)
passer aux actes
poser des jalons
prendre l'initiative de
prendre les devants
provoquer

Finir

aboutir
achever de
arrêter de
arriver à échéance
arriver à terme
arriver au port
baisser le rideau
cesser de
compléter
conclure
couper court à
dénouer
fignoler
en finir avec
finir en beauté
finir en queue de poisson
mener à bonne fin
mettre fin à
mettre la dernière main à
mettre le point final à
mettre un terme à
parachever
parfaire
prendre fin
rompre
sonner le glas de
tarir
terminer
toucher à sa fin
tourner la page

Les actions du personnage : continuer, abandonner, des **verbes** et des **expressions**

Continuer

s'acharner à
ne pas cesser de
conserver
défier les années
demeurer
ne pas démordre de
donner suite à
durer
s'entêter à
s'étendre
s'éterniser
se garder
immortaliser
maintenir
s'obstiner
se passer le flambeau
perdurer
perpétuer
persévérer
persister à
poursuivre
prolonger
résister
rester
subsister
survivre
traîner en longueur

Abandonner

abandonner de guerre lasse
abandonner lâchement
abdiquer
abjurer
s'abstenir
baisser pavillon
battre en retraite
bazarder
capituler
céder
cesser
déclarer forfait
se dégonfler
délaisser
démissionner
en démordre
déserter
se désintéresser de
se désister
se détacher de
se détourner de
faire défection
faire faux bond
flancher
fléchir
immoler ses intérêts
s'incliner
lâcher prise
laisser en friche
laisser péricliter
laisser tomber
larguer
mettre au rancart
passer la main
plaquer
en prendre son parti
rebrousser chemin
remettre sa démission à
renoncer à
se replier
se résigner
se retirer
tirer un trait sur
tourner le dos à
prendre congé de

Les actions du personnage : créer, détruire, détériorer, **des verbes** et des **expressions** pour en parler

Créer

agencer
assembler
bâtir
bricoler
composer
concevoir
confectionner
constituer
construire
donner le jour à
donner forme à
donner vie à
dresser
échafauder
édifier
élaborer
engendrer
ériger
établir
exécuter
fabriquer
faire naître
fonder
forger
former
imaginer
inaugurer
innover
instituer
inventer
manufacturer
mettre en œuvre
mettre sur pied
monter
organiser
préparer
produire
réaliser
structurer
susciter
tirer du néant
usiner

Détruire

abattre
abolir
anéantir
annihiler
bombarder
broyer
brûler
concasser
décomposer
démanteler
démolir
démonter
déraciner
désagréger
désintégrer
dévaster
dissoudre
écraser
éliminer
exterminer
faire éclater
faire table rase de
foudroyer
fracasser
jeter bas
massacrer
mettre à bas
mettre à sac
mettre en miettes
mettre en pièces
miner
piller
pilonner
pulvériser
raser
ravager
réduire à néant
réduire en bouillie
réduire en cendres
renverser
ruiner
saccager
saper
supprimer
tailler en pièces

Détériorer

abîmer
altérer
amocher
bosseler
bousiller
briser
casser
défigurer
déformer
déglinguer
dégrader
dénaturer
désarticuler
détraquer
disloquer
ébrécher
écrabouiller
édulcorer
égratigner
endommager
esquinter
estropier
flétrir
frelater

→

gâter
gauchir
mutiler
rompre
saboter
ternir
triturer
tronquer
vandaliser

Les actions du personnage : changer, augmenter, diminuer, des **verbes** et des **expressions** pour en parler

Changer

aggraver
altérer
améliorer
amender
avilir
bonifier
bouleverser
chambarder
contrefaire
convertir
corriger
corrompre
déformer
dégrader
déguiser
dénaturer
diversifier
embellir
empirer
enjoliver
enlaidir
épurer
expurger
faire évoluer
falsifier
fausser
maquiller
métamorphoser
modifier
nuancer
pervertir
rectifier
refondre
réformer
remanier
rendre méconnaissable
renouveler
rénover
révolutionner
transfigurer
transformer
transmuer
transposer
travestir
varier

Augmenter

accélérer
accentuer
accroître
agrandir
ajouter à
allonger
amplifier
aviver
développer
dilater
donner de l'ampleur à
élargir
enrichir
épaissir
étendre
étirer
exagérer
faire croître
gonfler
grossir
hausser
intensifier
majorer
multiplier
prolonger
rallonger
redoubler
renforcer
stimuler
surestimer

Diminuer

abréger
adoucir
affaiblir
alléger
amenuiser
amincir
amoindrir
atténuer
comprimer
contracter
décroître
dégonfler
dégrossir
dévaloriser
écourter
mettre un bémol à
mettre une sourdine à
minimiser
modérer
rabattre
raccourcir
rapetisser
réduire
resserrer
restreindre
résumer
rétrécir

Les actions du personnage : commander, obéir, désobéir, des **verbes** et des **expressions** pour en parler

Commander

abuser de son pouvoir
avoir la haute main sur
avoir les pleins pouvoirs sur
avoir sous sa coupe
avoir toute autorité sur
commander à la baguette
diriger
discipliner
dominer
être à la tête de
être aux commandes de
être l'âme dirigeante de
être maître à bord
être maître de
exercer sa suprématie sur
exercer son emprise sur
exiger
gouverner
s'imposer à
imposer sa volonté à
intimer à qqn l'ordre de
mener au doigt et à l'œil
mener la barque
mener par le bout du nez
mettre au pas
orchestrer
ordonner
parler en maître
prendre les commandes
régenter
régner sur
soumettre à son autorité
tenir la barre
tenir la dragée haute à
tenir le gouvernail
tenir les leviers de commande

Obéir

s'abandonner à la volonté de
acquiescer à
agir au gré de
s'asservir à
se conformer à
courber l'échine devant
déférer à
dépendre de
s'écraser devant
être à la solde de
être à plat ventre devant
être souple comme un gant
ne pas se le faire dire deux fois
filer doux
fléchir devant
s'incliner devant
s'inféoder à
se laisser mener par le bout du nez
marcher au pas
marcher droit
se mettre aux ordres de
obéir au doigt et à l'œil à
obéir sans murmurer à
observer la volonté de
obtempérer à
plier devant
ployer les genoux devant
relever de
rentrer dans le rang
se résigner à
respecter
servir à la baguette
se soumettre à
subir le joug de
se le tenir pour dit
trouver son maître

Désobéir

braver la consigne
se buter
se cabrer
contrevenir à
se dérober à
déroger à
se dresser contre
s'écarter de
enfreindre
s'entêter
entrer dans la clandestinité
n'en faire qu'à sa tête
se gendarmer
heurter de front
s'indigner contre
s'insurger contre
s'opposer à
passer outre à
protester
se raidir (contre)
se rebeller contre →

se rebiffer
refuser l'autorité de
résister à
se révolter contre
secouer le joug de
se soulever contre
tenir tête à
transgresser
violer le règlement

Les actions du personnage : accepter, rejeter, des **verbes** et des **expressions** pour en parler

Accepter

accéder aux désirs de
accepter de grand cœur
accepter librement
accueillir
acquiescer
adhérer à
admettre
agréer
assumer
autoriser
bien vouloir
condescendre
consentir
convenir de
dire amen à
donner son accord
donner son adhésion à
donner son agrément à
donner son consentement
endurer
s'y faire
faire contre mauvaise fortune bon cœur
ne pas se faire prier
se faire une raison
s'incliner
laisser faire
permettre
porter sa croix
prendre avec philosophie
prendre patience
en prendre son parti
se résigner
se résoudre à
subir
supporter
tolérer

Rejeter

bannir
bouter dehors
boycotter
censurer
chasser de
congédier
démettre de
déporter
déraciner
destituer
écarter
éconduire
envoyer au diable
envoyer paître
envoyer promener
évincer
exclure
excommunier
exiler
expatrier
expulser
flanquer à la porte
frapper d'anathème
frapper d'ostracisme
honnir
interdire
isoler
jeter à la rue
jeter l'interdit sur
licencier
limoger
marginaliser
maudire
mettre à l'index
mettre à la porte
mettre au ban
mettre en quarantaine
montrer du doigt
ostraciser
prononcer l'exclusive contre
proscrire
rabrouer
radier
refouler
reléguer
relever de ses fonctions
repousser
réprouver
révoquer
tenir à l'écart
virer

Les actions du personnage : honorer, discréditer, des **verbes** et des **expressions** pour en parler

Honorer

accabler d'éloges
acclamer
aduler
applaudir
auréoler
béatifier
canoniser
célébrer
citer à l'ordre du jour
combler d'honneurs
conférer des honneurs à
couronner
couvrir d'éloges
décerner des éloges à
décorer
déifier
dérouler le tapis rouge devant
dispenser des honneurs à
dresser des autels à
élever à la dignité de
élever sur un piédestal
encenser
exalter
faire un grand honneur à
féliciter
glorifier
honorer solennellement
louanger
magnifier
médailler
mettre au Panthéon
ovationner
pavoiser
porter au pinacle
porter aux nues
porter en triomphe
priser
révérer
saluer
ne pas tarir d'éloges sur
tenir en grande considération
tenir en haute estime
tresser des couronnes à
vénérer
vouer un culte à

Discréditer

attaquer la mémoire de
calomnier
casser du sucre sur le dos de
casser les reins de
couvrir de boue
crier haro sur
critiquer
déblatérer contre
déconsidérer
décrier
dénigrer
déprécier
désavouer
déshonorer
détracter
détrôner
dévaloriser
diffamer
dire du mal de
disgracier
éclabousser
entacher la réputation de
éreinter
flétrir
humilier
jaser sur
jeter des pierres dans le jardin de
jeter le discrédit sur
médire de
mettre au pilori
perdre de réputation
porter atteinte à l'honneur de
répudier
ridiculiser
ruiner l'honneur de
salir la réputation de
ternir la réputation de
tirer à boulets rouges sur
traîner dans la boue
vilipender

Les actions du personnage : unir, s'unir, séparer, des **verbes** et des **expressions** pour en parler

Unir

accoler à
agencer avec
agglomérer à
allier à
amalgamer à
amasser
amonceler
annexer à
appareiller
apparenter à
apparier
assembler
associer à
assortir à
attacher à
cimenter
collectionner
combiner à
composer
confondre avec
conjoindre
connecter à
enchaîner à
englober
fusionner
grouper avec
intégrer à
joindre à
lier à
marier à, avec
mélanger à, avec
mêler à, avec
mettre en commun
raccorder avec
rassembler
regrouper
relier à
réunir à
river à
souder à
unifier
unir intimement à

S'unir

s'accointer à
s'accorder avec
s'affilier à
agir de complicité avec
s'agréger à
s'allier à
s'assembler
s'associer à
s'attrouper
se coaliser
collaborer avec
se concerter
coopérer avec
être de connivence avec
faire alliance avec
faire bloc avec
faire commune avec
faire corps avec
se fiancer avec
frayer avec
se grouper
se joindre à
se lier à, avec
se liguer avec... contre
se marier avec
se rassembler
se réunir
se solidariser avec
sympathiser avec
travailler de concert avec

Séparer

cloisonner
compartimenter
couper de
démantibuler
démêler
démembrer
dénouer
dépareiller
désunir
détacher
discriminer
disjoindre
disloquer
disperser
dissocier
distinguer
diviser
espacer
exclure
extraire
fractionner
fragmenter
isoler
mettre à part
morceler
partager
répartir
scinder
segmenter
trier

Dans les récits, les personnages sont comme nous, ils **disent** et ils **font** des choses. Ces deux actions sont tellement importantes qu'il existe une multitude de verbes pour en marquer toutes les nuances.
Dans un dialogue, il est important de bien choisir le verbe qui montrera sur quel **ton** s'exprime le personnage.

DIRE ET FAIRE

Puis ***elle éclata*** *en reproches véhéments :*
- T'en aller ! Mais où ?
- En Europe, maman...
- L'Europe ! ***reprit-elle****, le lointain de ce mot renouvelant son ressentiment.*
- C'est surtout en France que je voudrais aller.
- La France ! ***jeta-t-elle****, comme avec mépris.*

Gabrielle Roy

Les actions du personnage : dire, des **verbes équivalents** qu'on peut employer dans les dialogues

Dire

aboyer
acquiescer
admettre
affirmer
ajouter
alléguer
annoncer
ânonner
approuver
articuler
assurer
avouer
bafouiller
balbutier
bégayer
bougonner
brailler
bredouiller
chuchoter
commander
commencer
concéder
conclure
confesser
confier
confirmer
conseiller
continuer
corriger
couper
crier
déblatérer
déclarer
demander
s'emporter
enchaîner
s'épancher
s'esclaffer
s'étonner
s'exclamer
s'excuser
s'expliquer
faire
glousser
grasseyer
grogner
grommeler
hasarder
hurler
s'impatienter
implorer
s'informer
insister
interroger
interrompre
jargonner
jurer
lancer
marmonner
maugréer
moquer
murmurer
nasiller
objecter
observer
opiner
ordonner
oser
pérorer

→

persister
pester
plaisanter
pouffer
poursuivre
préciser
prétendre
prétexter
prier
proférer
promettre
prononcer
proposer
protester
questionner
raconter
râler
rapporter
recommander
reconnaître
remarquer
remercier
renchérir
repartir
répéter
répliquer
répondre
reprendre
reprocher
rétorquer
ricaner
riposter
risquer
roucouler
sangloter
siffler
signaler
souffler
souligner
soupirer
soutenir
suggérer
supposer
susurrer
tonner
tousser
trancher
vociférer

Les actions du personnage : faire, des **verbes équivalents** dans certains emplois

Faire

accomplir (une action, un geste, un exploit, un effort, un devoir, une tâche, un progrès...)
amasser (des provisions)
apporter (une modification, une correction...)
bâtir (une maison, une fortune, une réputation, une théorie...)
commettre (un crime, une erreur, une injustice, une trahison, un péché...)
composer (une œuvre musicale, un poème, un livre...)
confectionner (un mets, un vêtement...)
consommer (un crime, un attentat, un forfait...)
construire (une maison, une œuvre littéraire, une théorie, un tableau, une figure, une phrase...)
créer (une œuvre littéraire, une œuvre d'art, une entreprise, une association...)
déployer (des efforts)
déposer (une plainte)
dresser (un plan, une carte, un tableau, un rapport, une liste, un inventaire...)
échafauder (une théorie, un plan...)
écrire (un poème, une lettre, un roman, un article...)
effectuer (une opération, une vérification, une expérience, une analyse, une réforme, un geste, un mouvement...)
élaborer (un plan, une théorie, un système, une doctrine...)
ériger (un temple, une statue, une église...)
établir (une marche à suivre, une façon de procéder...)
exécuter (un dessin, une peinture, un pas de danse, un mouvement de gymnastique, une tâche...)
exercer (un métier, un effort, une pression...)
fabriquer (un appareil, un outil, un produit...)

façonner (une œuvre, une pièce, un objet...)
fonder (une famille, un parti, une entreprise...)
forger (une pièce, un mot, un plan, une image, une métaphore...)
former (un mot, une phrase, une collection, une association...)
formuler (un reproche, une demande, une plainte...)
manufacturer (un produit)
ménager (une surprise, une ouverture, un abri, une tour, un escalier...)
mener (une expérience, une enquête, une recherche...)
modeler (une figurine, une poterie)
monter (une pièce de théâtre, un coup, une machine, une tente, un décor, un dossier...)
opérer (un changement, une transformation, un choix...)
ouvrager (une pièce d'orfèvrerie)
perpétrer (un crime, un forfait, une atrocité...)
pratiquer (un métier, un sport, la charité, une intervention chirurgicale, une ouverture, un trou...)
préparer (un mets, un repas, une boisson, un médicament, un plan...)
produire (une impression, un effet, une œuvre...)
prononcer (un discours, un sermon, un souhait...)
publier (un livre)
réaliser (un film, une émission, un exploit...)
rédiger (un rapport, un article, une analyse...)
tracer (une route, une ligne, un triangle, un plan, un dessin, un schéma, un diagramme...)
usiner (une pièce)

ENFIN... LA SITUATION FINALE

Et voilà la situation finale. Prévisible ou surprenante, vraisemblable ou invraisemblable, cohérente et logique, autant de qualificatifs qui s'appliquent à la fin d'un récit.

Cette dernière partie montre la finesse, l'astuce de l'auteur. Il a réussi à garder le lecteur en haleine et maintenant, il le libère. Celui-ci peut enfin respirer, il connaît le sort du héros.

Mais il faut soigner la sortie. Plus l'histoire se dénoue rapidement, plus elle aura de l'effet.

Échec et mat !
Comme un film, chaque récit doit présenter une fin heureuse ou malheureuse. C'est cette partie qui répond aux questions du lecteur ou qui lui permet de vérifier ses hypothèses. Le héros arrivera-t-il à temps ? Réussira-t-il à vaincre tous les obstacles ? Comment ? La situation finale parle de réussite ou d'échec, c'est le dénouement de l'histoire.

LE DÉNOUEMENT, L'ÉCHEC OU LA RÉUSSITE

Il regardait son visage sur la surface de l'eau. Puis, sur ce visage, il vit soudain une grande frayeur. Et ce fut la dernière chose qu'il vit.

Milan Kundera

Le dénouement, des **noms** pour en parler

l'aboutissement
l'accomplissement
l'achèvement
l'apothéose
le chant du cygne
la clôture
le coup final
le couronnement
le dernier acte
l'échéance
l'épilogue
la fin
la finale
l'issue
le point de non-retour
le revirement final
le terme
la tombée du rideau

Le dénouement, des **adjectifs** pour le caractériser

bref, brève
définitif, définitive
extrême
final, finale
imprévu, imprévue
inattendu, inattendue
irrémédiable
irréversible
irrévocable
précipité, précipitée
révolu, révolue
soudain, soudaine
surprenant, surprenante
terminal, terminale
ultime

Le dénouement, des **verbes** et des **expressions** pour en parler

Terminer

aboutir
accomplir
s'accomplir
achever
s'achever
arrêter
s'arrêter
arriver à son terme
cesser
clore
conclure
couper court à
se dénouer
échoir à
faire cesser
faire la lumière sur
en finir avec
interrompre
mener à bonne fin
mettre fin à
mettre la dernière main à
mettre la dernière touche à
mettre un point final à
mettre un terme à
prendre fin
se régler
se résoudre
se résumer à
se terminer
tirer à sa fin
tirer le rideau
toucher à sa fin
tourner à
tourner la page
trouver sa fin
en venir à

L'échec, des **noms** et des expressions pour le nommer

un avatar
une capitulation
une catastrophe
un coup du sort
la débâcle
un déboire
une déception
la déconfiture
une déconvenue
la défaite
une démission
la déroute
un désappointement
un désastre
une désertion
l'effondrement
la faillite
la fatalité
un faux pas
un fiasco
une impasse
une infortune
l'insuccès
la malchance
le mauvais sort
la mauvaise fortune
un naufrage
un revers
la ruine
la trahison

L'échec, des **adjectifs** pour le caractériser

affligeant, affligeante
catastrophique
déplorable
dérisoire
désastreux, désastreuse
désolant, désolante
fâcheux, fâcheuse
fatal, fatale
funeste
futile
infructueux, infructueuse
inutile
lamentable
malheureux, malheureuse
navrant, navrante
néfaste
regrettable
stérile
superflu, superflue
vain, vaine
infécond, inféconde

L'échec, des **verbes** et des **expressions** pour en parler

Échouer

abandonner
abdiquer
achopper sur
agoniser
aller à la dérive
avorter

→

buter sur
capituler
décliner
se délabrer
déposer les armes
se dérégler
se désagréger
se désorganiser
se détraquer
disparaître
s'écrouler
s'effondrer
essuyer une défaite
s'éteindre
s'évanouir
expirer
faillir
faire chou blanc
faire fiasco
hisser le drapeau blanc
mettre pavillon bas
perdre
péricliter
rater
rendre les armes
sombrer
se tarir
tomber en disgrâce
tomber en ruine
trébucher sur

Faire échouer

anéantir
annihiler
annuler
battre en brèche
compromettre
couler
décimer
défaire
démanteler
démolir
détrôner
discréditer
dissoudre
écraser
évincer
exterminer
faire échec à
faire obstacle à
faucher
gâcher
mettre en miettes
pulvériser
réduire à l'impuissance
réduire à néant
réduire en cendres
réduire en poussière
renverser
ruiner
saborder
saboter
saper
sonner le glas de
supprimer
tailler en pièces
tenir en échec
torpiller

La réussite, des **noms** et des **expressions** pour la nommer

l'acclamation
le bonheur
la bonne fortune
la célébrité
la consécration
le couronnement
une décoration
un dénouement heureux
l'épanouissement
un exploit
la fortune
la gloire
une issue favorable
le miracle
la notoriété
les palmes
le prestige
la prospérité
une prouesse
le ravissement
la récompense
le succès
le triomphe
la victoire

La réussite, des **adjectifs** pour la caractériser

admirable
appréciable
brillant, brillante
complet, complète
considérable
éclatant, éclatante
enviable
extraordinaire
formidable
fracassant, fracassante
glorieux, glorieuse
incontestable
mérité, méritée
parfait, parfaite
phénoménal, phénoménale
prometteur, prometteuse
remarquable
retentissant, retentissante
sans égal
sans précédent
triomphal, triomphale

La réussite, des **verbes** et des **expressions** pour en parler

Arriver à la réussite

atteindre son objectif
avoir le vent en poupe
être couronné de succès
être en plein essor
être florissant
faire fortune
parvenir à ses fins
prospérer
se réaliser
remporter un vif succès
rencontrer le succès
toucher le but
triompher
vaincre les obstacles
venir à bout de

Consacrer la réussite

acclamer
aduler
applaudir
auréoler de gloire
braquer les regards sur
célébrer
chanter les louanges de
citer en exemple
couronner
féliciter
glorifier
honorer la mémoire de
immortaliser le nom de
médailler
ovationner
porter aux nues
récompenser publiquement
vénérer

Le dénouement, l'échec, la réussite, des **images évocatrices**

Il n'y manquait que la touche finale.
Tous les efforts déployés restèrent lettre morte.
La victoire rêvée se matérialisait, enfin !

Une image bien placée vaut parfois mieux qu'un long discours. Alors, pourquoi ne pas en introduire dans le dénouement pour créer un meilleur effet ?

La réussite

arriver en haut de l'échelle
atteindre des sommets inégalés
avoir le monde à ses pieds
avoir le vent dans les voiles
avoir le vent en poupe
briller au firmament
se couvrir de lauriers
être au sommet de la vague
être en pleine ascension
se faire une place au soleil
remporter la palme
vivre des jours filés d'or et de soie
voler de succès en succès

L'échec

aller à la dérive
avoir du plomb dans l'aile
battre de l'aile
boire le calice jusqu'à la lie
déclarer forfait
faire naufrage
se heurter à un mur
mettre en échec
mordre la poussière
sombrer corps et biens
tomber de son piédestal
toucher le fond de l'abîme
tourner à vide

LE CONTE

Tout récit est construit autour des personnages qui vivent ou subissent des situations heureuses ou malheureuses, dans des lieux et des temps donnés. Le conte répond lui aussi à cette définition. Ce qui en fait un récit particulier, c'est qu'il échappe aux lois de la réalité. Dans un conte, le personnage, l'espace ou les exploits relèvent du merveilleux.

Un animal qui parle, une citrouille qui se transforme en carrosse, un crapaud changé en prince, une forêt enchantée, voilà autant d'éléments que l'on retrouve dans le conte merveilleux. Pour créer cet univers propice à l'enchantement, au surnaturel, au fabuleux, à l'insolite, il faut introduire dans un récit des personnages, des lieux qui échappent à la réalité ou des objets qu'on pourrait trouver dans un coffre aux trésors.

LE MERVEILLEUX

... l'image d'une sorcière se dressa devant lui, c'était une créature sans visage... Une sorcière noire, avec un chapeau pointu, comme dans les livres. [...] Il sentit les alentours s'éloigner, comme s'il était un somnambule en train de flotter de-ci de-là...

Lynne Markam

Le merveilleux : les personnages, des **noms** pour les nommer

un alchimiste
un ange
un astrologue, une astrologue
un baladin
un barde
un bateleur
un berger, une bergère
un bourreau
un brigand
un bûcheron
un calife
un capitaine
un cartomancien, une cartomancienne
un centaure
un chaman
un chevalier
un corsaire
un courtisan
un croque-mitaine
un cyclope
une déesse
un démon, une démone
un derviche
un devin, une devineresse
un diable, une diablesse
une diseuse de bonne aventure
une divinité
un djinn
un dragon
un druide
une dryade
une dulcinée
un écuyer
un elfe
un empereur, une impératrice
un enchanteur, une enchanteresse
un ensorceleur, une ensorceleuse
une envoûteur, une envoûteuse
un ermite
un esprit
un eunuque
un fakir
un fantôme
un farfadet

→

un faune
une fée
un feu follet
un filou
un forban
un forgeron
un fripon
un géant, une géante
un génie
un gnome
un gredin
un griffon
une harpie
un initié, une initiée
un joaillier, une joaillière
un kabbaliste
un laquais
une licorne
un loup-garou
un luthier
un lutin
un mage
un magicien, une magicienne
un manant
un marabout
un maréchal-ferrant
un marin
un ménestrel
un meunier, une meunière
une momie
un monstre
une muse
une naïade
une nymphe
une odalisque
un ogre, une ogresse
un oracle
un orfèvre
un pacha
un page
un paladin
un pêcheur, une pêcheuse
un pèlerin
un pharaon
un pirate
un preux
un prince, une princesse
un prophète, une prophète
un revenant
un roi, une reine
un rufian
un sage
un saltimbanque
un satyre
un seigneur
une sibylle
une sirène
un sorcier, une sorcière
un sourcier
un spectre
un sphinx
un sultan
un sylphe
un thaumaturge, une thaumaturge
un tisserand, une tisserande
un titan
un triton
un troll
un troubadour
un valet
un vampire
un vilain, une vilaine
un vizir
un voyant, une voyante
une Walkyrie
un zombi

Le merveilleux : les personnages, des **adjectifs** pour les caractériser

abject, abjecte
acariâtre
acrimonieux, acrimonieuse
affreux, affreuse
agile
ahurissant, ahurissante
angélique
astucieux, astucieuse
avare
avisé, avisée
bilieux, bilieuse
bizarre
bossu, bossue
bourru, bourrue

brutal, brutale
chagrin, chagrine
charmant, charmante
chevaleresque
clairvoyant, clairvoyante
clément, clémente
coléreux, coléreuse
colossal, colossale
courageux, courageuse
courtois, courtoise
criminel, criminelle
cruel, cruelle
cupide
cyclopéen, cyclopéenne
débonnaire
déchu, déchue
dégourdi, dégourdie
délicat, délicate
déloyal, déloyale
démoniaque
désincarné, désincarnée
dévoué, dévouée
diabolique
diaphane
difforme
diligent, diligente
disgracié, disgraciée
éblouissant, éblouissante
éclairé, éclairée
effrayant, effrayante
effroyable
énigmatique
ensorcelé, ensorcelée
envieux, envieuse
envoûté, envoûtée
éploré, éplorée
épouvantable
éprouvé, éprouvée
errant, errante
espiègle
étrange
évanescent, évanescente
exquis, exquise
extraordinaire
fabuleux, fabuleuse
fantasmagorique
fantastique
féerique
féroce
fervent, fervente
formidable
fougueux, fougueuse
fourbe
fugitif, fugitive
furibond, furibonde
furieux, furieuse
galant, galante
généreux, généreuse
gigantesque
gracieux, gracieuse
grimaçant, grimaçante
grincheux, grincheuse
hallucinant, hallucinante
hardi, hardie
hargneux, hargneuse
hideux, hideuse
horrible
humble
hypocrite
ignoble
immatériel
immonde
impavide
imperturbable
impétueux, impétueuse
impitoyable
indulgent, indulgente
infâme
ingénieux, ingénieuse
inique
inoffensif, inoffensive
inquiétant, inquiétante
inspiré, inspirée
intègre
intrépide
invincible
invisible
irascible
irréductible
jaloux, jalouse
lâche
lilliputien, lilliputienne
louche
loyal, loyale
magnanime
malfaisant, malfaisante

malicieux, malicieuse
malin, maligne
médusé, médusée
mégalomane
mélancolique
méphistophélique
miraculeux, miraculeuse
muet, muette
mystérieux, mystérieuse
noble
obsédant, obsédante
obséquieux, obséquieuse
odieux, odieuse
omnipotent, omnipotente
omniscient, omnisciente
opulent, opulente
orageux, orageuse
perfide
persévérant, persévérante
perspicace
pervers, perverse
pleutre
poltron, poltronne
présomptueux, présomptueuse
preste
preux
prodigieux, prodigieuse
pusillanime
rancunier, rancunière
ravissant, ravissante
repoussant, repoussante
retors, retorse
richissime
romantique
sacré, sacrée
sanguinaire
satanique
savant, savante
sculptural, sculpturale
séduisant, séduisante
spirituel, spirituelle
surnaturel, surnaturelle
taciturne
téméraire
terrifiant, terrifiante
titanesque
tourmenté, tourmentée
troublant, troublante
tyrannique
vaillant, vaillante
valeureux, valeureuse
vaniteux, vaniteuse
vertueux, vertueuse
vil, vile

Le merveilleux : les personnages, des **verbes** et des **expressions** pour en parler

charmer
conjurer le sort
consulter l'oracle
deviner
disparaître
enchanter
ensorceler
envoûter
escamoter
évoquer un esprit
exaucer un vœu
exorciser
hypnotiser
jeter un sort à
magnétiser
métamorphoser en
opérer un sortilège
pactiser avec le diable
prédire
prophétiser
rompre un charme
subtiliser
vaticiner
volatiliser

Le merveilleux : les lieux, des **noms** et des **expressions** pour les nommer

un antre
une basilique
un cachot
une caravelle
des catacombes
une cathédrale
un caveau
une caverne
une chapelle
un château
une chaumière
un cimetière
une citadelle
un couvent
une crypte
un donjon
une église
une forêt enchantée
une forteresse
une galère
un galion

un grenier
une grotte
une île déserte
un labyrinthe
un manoir
une mansarde
un marais
un mastaba
un mausolée
un minaret
un monastère
une montagne sacrée
une mosquée
un musée
une nécropole
une pagode
un palais
un pavillon
une pyramide
un repaire
un temple
un tombeau
une tour

Le merveilleux : les lieux, des **adjectifs** pour les caractériser

abandonné, abandonnée
angoissant, angoissante
biscornu, biscornue
céleste
charmant, charmante
crasseux, crasseuse
dédaléen, dédaléenne
dégoûtant, dégoûtante
délabré, délabrée
démesuré, démesurée
désert, déserte
diabolique
divin, divine
élyséen, élyséenne
embaumé, embaumée
enchanté, enchantée
enchanteur, enchanteresse
ensorcelé, ensorcelée
étrange
exigu, exiguë
fabuleux, fabuleuse
fantastique
fastueux, fastueuse
féerique
fortifié, fortifiée
grandiose
hanté, hantée
humide
illuminé, illuminée
immatériel
immense
impénétrable
imposant, imposante
imprenable
inaccessible
inextricable
infect, infecte
infernal, infernale
inhospitalier, inhospitalière
inquiétant, inquiétante
invisible
isolé, isolée
légendaire
lugubre
lumineux, lumineuse
luxueux, luxueuse
luxuriant, luxuriante
magique
magnifique
majestueux, majestueuse
maudit, maudite
millénaire
miraculeux, miraculeuse
misérable
miteux, miteuse
modeste
mystérieux, mystérieuse
mythique
nauséabond, nauséabonde
obscur, obscure
opaque
orné, ornée
paradisiaque
prodigieux, prodigieuse
radieux, radieuse
répugnant, répugnante
resplendissant, resplendissante
rutilant, rutilante
sacré, sacrée
secret, secrète
séculaire
sépulcral, sépulcrale
silencieux, silencieuse
sinistre
somptueux, somptueuse
sordide
splendide
surnaturel, surnaturelle
ténébreux, ténébreuse
vaste

Le merveilleux : les objets, des **noms** et des **expressions** pour les nommer

un alambic
une amulette
un anneau
un arc
une bague
une baguette
un balai de sorcière
des bottes de sept lieux
un bouclier
une boule de cristal
un candélabre
une cape
un capuchon
un carrosse
un carquois
une caryatide
un cénotaphe
un chaperon
un char
une citrouille
une clef
un coffre au trésor
une cotte
une couronne
un creuset
une dague
un diadème
une djellaba
un donjon
un écu
un élixir
une épée
une épitaphe
un fétiche
une feuille de gui
un fil d'Ariane
une flèche
une flûte
une fronde
un fuseau
un glaive
un gri-gri
un grimoire
une hallebarde
un heaume
un hennin
une houppelande
un javelot
un joyau
une lampe
un luth
une lyre
une mandragore
une masse d'armes
une médaille
un miroir
une mitre
un mousquet
un olifant
un parchemin
un pendule
un philtre d'amour
une pierre philosophale
un porte-bonheur
une potion
de la poudre de perlimpinpin
une quenouille
un sabre
un sceptre
une statue
une stèle
un surcot
un talisman
un tapis
une tapisserie
un tarot
un tricorne
un tromblon
une tunique
un turban
une viole

Le merveilleux : les objets, des **adjectifs** pour les caractériser

ancestral, ancestrale
bénéfique
chimérique
diabolique
divinatoire
ébréché, ébréchée
effilé, effilée
enchanté, enchantée
envoûté, envoûtée
étranglé
fabuleux, fabuleuse
faste
funèbre
introuvable
légendaire
macabre
magique
maléfique
miraculeux, miraculeuse
monumental, monumentale
mortuaire
mystérieux, mystérieuse
néfaste
parlant, parlante
précieux, précieuse
prophétique
sacré, sacrée
salutaire
surnaturel, surnaturelle
tranchant, tranchante
troublant
vermoulu, vermoulue
volant, volante

Le merveilleux, des **images évocatrices**

Les pages mélangeaient joyeusement des baies de lunes, des queues de comètes, des anneaux de planètes, arrosés d'un peu de soupe alphabétique.
Les pelliculages étaient des vêtements fins et transparents, aussi brillants que des ailes de libellules.

LE TEXTE *argumentatif*

Toutes les opinions sont respectables. Bon.
C'est vous qui le dites. Moi, je vous dis le contaire.
C'est mon opinion. Respectez-la donc!

Jacques Prévert

LE TEXTE D'OPINION

La recette «modèle»

« Plus une idée est belle, plus la phrase est sonore. »

Cette citation de Flaubert pourrait servir à amener le sujet d'un texte d'opinion. Il faut aborder clairement le sujet : de quoi veut-on parler et pourquoi veut-on en parler ? Autrement dit, l'objet et l'intention. Le lecteur suivra mieux notre raisonnement si nous lui annonçons chacun des aspects que nous voulons développer. Voilà notre sujet divisé. Vient ensuite l'opinion, qui décidera du choix des arguments ; elle sera pour, contre ou nuancée.

Une introduction construite selon les règles facilitera la présentation d'argumentation claire.

En effet, si chacun des aspects annoncés est repris dans un paragraphe où l'on s'applique à l'expliquer et à l'illustrer par des exemples, des faits, des références ou des énoncés généraux, notre opinion deviendra de plus en plus évidente.

Si, en plus, nous prenons soin de lier les arguments à l'aide de mots ou d'expressions de transition bien choisis, la rigueur de la pensée et la cohérence du raisonnement ne pourront qu'être démontrés.

Il ne restera qu'à conclure par une fermeture bien nette. Les mots, ici, doivent redire sans toutefois répéter. Choisir enfin le coup d'envoi, la réplique qui ouvrira le débat sur d'autres maux !

Comme nous l'avons déjà mentionné, le texte narratif, qu'il soit conte, nouvelle ou récit d'aventures, est une oeuvre de fiction qui vise à amuser, à distraire, et surtout qui procure l'évasion. C'est alors l'imagination qui est mise en oeuvre.

Quant au texte argumentatif (lettre d'opinion, billet, éditorial), il est plus rationnel. Écrire un texte d'opinion, c'est débattre des idées. Et dans le monde des idées, c'est la raison, la logique qui sont à l'honneur. Tout l'art de l'argumentation réside dans l'habileté à CONVAINCRE son lecteur de la justesse et de la richesse de notre pensée.

Écrire un texte d'opinion, c'est aussi faire valoir son droit à la liberté d'expression. On peut donc y exprimer son accord, y montrer son désaccord ou encore y formuler des nuances par rapport à une situation ou à une prise de position.

S'il est vrai que «les idées mènent le monde», encore faut-il que ces idées soient ordonnées dans une structure solide.

LES IDÉES

Plus une idée est belle, plus la phrase est sonore.
Gustave Flaubert

Des **noms** pour marquer **la nuance**, **l'affirmation**, **l'opposition** des idées

La nuance

l'abstention
une allusion
une alternative
une ambiguïté
une approximation
un arbitrage
un arrangement
la compréhension
un compromis
une concession
la conciliation
une conjecture
le dialogue
un dilemme
un doute
un embarras
une estimation
une évaluation
des fluctuations
une hésitation
une hypothèse
une indétermination
l'impartialité
une imprécision
une impression
l'indécision
une intuition
une médiation
la modération
un moyen terme
des négociations
la neutralité
le non-engagement
la non-ingérence
la perplexité
des pourparlers
un postulat
une présomption
un pressentiment
une probabilité
une proposition
un sentiment
une supposition
une synthèse
la tolérance

L'affirmation

un adage
une analyse
un aphorisme
une apologie
une appréciation
une approbation
un argument
une argumentation
une assertion
une attestation
un avis
un axiome
une certitude
un commentaire
un compte rendu
une conclusion
une confirmation
une consigne
une constatation
une conviction
une déclaration
une déduction
une démonstration
une description
un diagnostic
des directives
un discours
une documentation
un dogme
un énoncé
un enseignement
une évidence
une évocation
une explication
un fondement
une indication
une inférence
de l'information
des instructions
un jugement
une lapalissade
une maxime
une narration
une note
une notice
une observation
une opinion
une remarque
une paraphrase
un point de vue
un précepte
une précision
une prémisse
une preuve
un principe
une proclamation
un propos
un proverbe
un raisonnement
une réflexion
un renseignement
des rudiments
une sentence
une synthèse
une tautologie
un témoignage
un verdict
une vérité

L'opposition

une accusation
une admonestation
un anathème
une condamnation
une contestation
une contradiction
une controverse
une critique
une dénégation
un désaccord
une désapprobation
un désaveu
une diatribe
une diffamation
une discordance
une dissension
un dissentiment
une divergence
une épigramme
une invective
un libelle
une négation
une objection
des objurgations
un pamphlet
une philippique
une polémique
une protestation
une récrimination
une remontrance
une réplique
une réprobation
un reproche
un réquisitoire
une restriction
une revendication
une riposte
une satire
une vitupération

Des **adjectifs** pour marquer **la nuance**, **l'affirmation**, **l'opposition** des idées

La nuance

acceptable
aléatoire
ambigu, ambiguë
ambivalent, ambivalente
approximatif, approximative
conditionnel, conditionnelle
conjectural, conjecturale
controversé, controversée
défendable
douteux, douteuse
embarrassant, embarrassante
envisageable
épineux, épineuse
équivoque
estimatif, estimative
éventuel, éventuelle
facultatif, facultative
fluctuant, fluctuante
hasardeux, hasardeuse
hésitant, hésitante
hypothétique
incertain, incertaine
indécis, indécise
indéterminé, indéterminée
intuitif, intuitive
irrésolu, irrésolue
latent, latente
modéré, modérée
optionnel, optionnelle
paradoxal, paradoxale
partagé, partagée
passable
plausible
possible
potentiel, potentielle
présumé, présumée
probable
problématique
tendancieux, tendancieuse
virtuel, virtuelle
versatile
vraisemblable

L'affirmation

absolu, absolue
affirmatif, affirmative
articulé, articulée
assuré, assurée
attesté, attestée
authentique
avéré, avérée
capital, capitale
catégorique
certain, certaine
cohérent, cohérente
concis, concise
concluant, concluante
confirmé, confirmée
conséquent, conséquente
convaincant, convaincante
corroboré, corroborée
crédible
déclaratif, déclarative
démontré, démontrée
déterminant, déterminante
discriminatoire
documenté, documentée
éclairé, éclairée
éloquent, éloquente
éminent, éminente
essentiel, essentielle
éternel, éternelle
évident, évidente
exact, exacte
exhaustif, exhaustive
fondamental, fondamentale
fondé, fondée
formel, formelle
honnête
inattaquable
incontestable
indiscutable
inspiré, inspirée
irrécusable

→

irréfutable
judicieux, judicieuse
juste
justifié, justifiée
légitime
logique
manifeste
mathématique
motivé, motivée
notoire
officiel, officielle
opportun, opportune
pénétrant, pénétrante
péremptoire
perspicace
persuasif, persuasive
pertinent, pertinente
précis, précise
probant, probante
prouvé, prouvée
puissant, puissante
rationnel, rationnelle
réaliste
révélé, révélée
rigoureux, rigoureuse
scientifique
solide
sûr, sûre
unanime
universel, universelle
véridique
véritable

L'opposition

aberrant, aberrante
absurde
abusif, abusive
amphigourique
arbitraire
artificieux, artificieuse
bancal, bancale
biscornu, biscornue
boiteux, boiteuse
chimérique
condamnable
confus, confuse
contestable
contradictoire
critiquable
décousu, décousue
démesuré, démesurée
discutable
embrouillé, embrouillée
embryonnaire
erroné, erronée
exagéré, exagérée
excessif, excessive
extravagant, extravagante
fallacieux, fallacieuse
fantaisiste
farfelu, farfelue
fautif, fautive
faux, fausse
fictif, fictive
flou, floue
fragmentaire
gratuit, gratuite
hétéroclite
hostile
illégitime
illogique
illusoire
imaginaire
impropre
inadmissible
incohérent, incohérente
incomplet, incomplète
indéfendable
inéquitable
inexact, inexacte
inique
injustifié, injustifiée
insensé, insensée
insidieux, insidieuse
insoutenable
invraisemblable
irrationnel, irrationnelle
irréaliste
mensonger, mensongère
nébuleux, nébuleuse
non fondé, non fondée
outrancier, outrancière
partial, partiale
partiel, partielle
partisan, partisane
préconçu, préconçue
prétendu, prétendue
primaire
récusable
réfutable
romancé, romancée
ronflant, ronflante
rudimentaire
saugrenu, saugrenue
sibyllin, sibylline
simpliste
sommaire
spécieux, spécieuse
subversif, subversive
suspect, suspecte
tendancieux, tendancieuse
trompeur, trompeuse
usurpé, usurpée
utopique
vaseux, vaseuse

Des **verbes** et des **expressions** pour marquer **la nuance**, **l'affirmation**, **l'opposition** des idées

La nuance

admettre que
alterner
arrondir les angles
atteindre un équilibre entre
atténuer son propos
avancer que
chercher une piste de réflexion
compenser
composer avec
concéder que
conjecturer
contrebalancer
convenir que
ne pas dépasser les bornes
ne pas disconvenir que
doser
douter de, que
échafauder
ne pas s'engager
équilibrer
être ouvert au dialogue
être partagé
évaluer
explorer de nouvelles avenues
faire converger
faire équilibre à
faire la part des choses
faire un compromis
hésiter
harmoniser
s'interroger sur
ménager la chèvre et le chou
mesurer ses paroles
mettre de l'eau dans son vin
mettre en parallèle
mettre un bémol à
modérer
modifier
se montrer conciliant
nager entre deux eaux
nuancer sa pensée
pondérer
présumer que
proportionner
se raisonner
refuser de prendre parti
se remettre en question
renvoyer dos à dos
réserver sa pensée
rester dans les limites de
rester neutre
se restreindre
se raviser
rendre à César ce qui est à César
revenir sur
risquer
sonder
spéculer
supposer que
teinter de
tempérer
tenir en bride
tenter de
tergiverser

L'affirmation

acclamer
acquiescer à
alléguer que
annoncer que
approuver que
assurer de, que
attester que
brosser le portrait de
cautionner
certifier que
conclure que
confirmer que
convaincre que
corroborer
déclarer que
décrire

→

déduire que
défendre
définir
démontrer que
donner sa caution à
émettre
énoncer
expliquer que
exprimer
faire l'apologie de
faire l'éloge de
faire le récit de
faire observer que
faire remarquer que
faire un compte rendu de
fonder sur
formuler
indiquer
induire que
inférer que
informer que
mettre au jour
mettre en évidence
mettre en lumière
opter pour
parier sur
persuader que
porter à la connaissance de
se porter garant de
préciser que
prendre parti pour
prétendre que
proclamer
professer
se prononcer sur
prouver que
relater
revendiquer
signaler que
soutenir que
spécifier que
témoigner de

L'opposition

blâmer
combattre
condamner
contester
contredire
critiquer
démentir
dénoncer
désapprouver
désavouer
se désolidariser de
discuter
diverger de, avec
se dresser contre
s'élever contre
émettre une objection
entrer en dissidence
être d'un avis contraire
être en désaccord avec
faire connaître son désaccord
faire grief de
faire le procès de
fustiger
hérisser
heurter de front
incendier
infirmer
s'inscrire en faux contre
interdire
lancer l'anathème contre
mettre en question
mettre son veto à
objecter que
s'opposer à
opposer une fin de non recevoir à
partir en guerre contre
prendre à contre-pied
protester
refuser
réfuter
répliquer que
reprocher de
réprouver
résister
rétorquer que
riposter
stigmatiser
tirer à boulets rouges sur
trouver à redire à
vexer
vider son carquois sur
vitupérer

Les transitions d'un texte ou mots charnières permettent au lecteur de passer, sans heurt, d'une idée à une autre, d'un paragraphe à un autre et d'exprimer le rapport existant entre ces deux idées ou ces deux paragraphes.

Certaines transitions annoncent aussi l'intention d'émettre une opinion ou de conclure.

Pour marquer la transition, on emploie parfois des mots liens, parfois aussi des locutions qui expriment l'opposition, la nuance, l'addition ou le renforcement des idées.

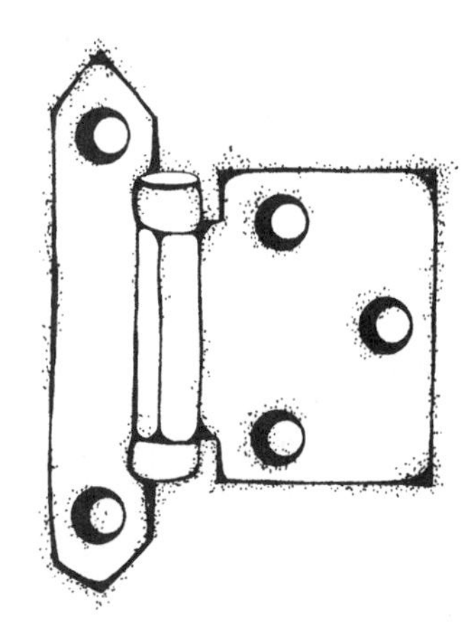

LES TRANSITIONS

Je crois que si tu acceptais de me suivre dans mon raisonnement, nous tomberions vite d'accord. [...] De même, chaque époque, chaque civilisation a falsifié le réel vécu selon ce qu'elles étaient. Or, jusqu'à présent, je ne connais pas de civilisation qui ait accepté le réel féminin comme nous pouvons (je ne dis pas que nous devons) le faire aujourd'hui.

Marie Cardinal

Les transitions : des **expressions** qui peuvent **annoncer l'opinion**

à ce propos
à ce sujet
à cet égard
à l'égard de
à la lumière de
à mon avis
à mon sens
à vrai dire
au surplus
autrement dit
de mon point de vue
de plus
en ce qui a trait à
en ce qui me concerne
en ce qui me regarde
en ce qui touche
en ce sens
en d'autres termes
en principe
pour ce qui est de
pour ma part
quant à moi
selon moi
sous ce rapport

Les transitions : des **mots** et des **expressions** pour **marquer la nuance, la concession**

à cette différence près que
à condition que
à l'exception de
à l'occasion
à moins que
à tout hasard
à toutes fins utiles
apparemment
au cas où
bien sûr
certes
d'autre part
dans l'éventualité de
dans la mesure où
de préférence
du moins
d'un autre côté
en dépit de
en principe
évidemment
excepté
généralement
malgré
naturellement
néanmoins
normalement
probablement
quoique
selon toute apparence
selon toute vraisemblance
si jamais
sous certains aspects
sous cette réserve
tout de même
toutefois
vraisemblablement

Les transitions : des **mots** et des **expressions** pour **additionner ou renforcer les idées**

a fortiori
à la vérité
à plus d'un titre
à plus forte raison
absolument
assurément
authentiquement
avec raison
conformément à
d'autant plus que
de fait
de plus
en fait
en outre
en réalité
en vertu de
étant donné que
hautement
indiscutablement
inévitablement
non seulement... mais aussi
nul doute que
par surcroît
parfaitement
puisque
raison de plus pour
sans compter que
surtout que
véritablement
vu que

Les transitions : des **mots** et des **expressions** pour **opposer les idées**

à contre-courant de
à défaut de
à l'encontre de
à l'inverse
à l'opposé
à la différence de
à tort
au contraire
au lieu de
au rebours de
bien au contraire
bien que
cependant
contrairement à
en dépit de
en remplacement de
en revanche
inversement
mais
néanmoins
par ailleurs
par contraste
par contre
par opposition à
pourtant
quoique
toutefois

Les transitions : des **mots** et des **expressions** pour **conclure**

à titre de compte rendu
à tout prendre
à toutes fins utiles
après tout
au demeurant
au reste
autrement dit
bref
décidément
en conclusion
en d'autres termes
en définitive
en raccourci
en résumé
en somme
en substance
en terminant
en un mot
finalement
pour récapituler
pour résumer
pour tout dire
somme toute
tout compte fait

BIBLIOGRAPHIE

PÉCHOUIN, Daniel (dir.), *Thésaurus Larousse*, 2e édition, Paris, Larousse, 1992, 1146 p.

LACROIX, U., *Dictionnaire des mots et des idées*, Paris, Fernand Nathan, 1961, 315 p.

Le Petit Larousse Illustré 1994, Dictionnaire encyclopédique, Paris, Larousse, 1784 p.

ROBERT, Paul, *Le Petit Robert 1,* Dictionnaire de la langue française, Paris, Société du Nouveau Littré, 1984, 2177 p.

GENOUNIER, Émile, DÉSIRAT, Claude et Tristan HORDÉ, *Nouveau dictionnaire des synonymes,* Paris, Larousse, 1992, 741 p.

NIOBEY, Georges (dir.), *Dictionnaire analogique,* Répertoire des mots par les idées, des idées par les mots, Références Larousse, Paris, Larousse, 1986, 856 p.

Abandonner, 103
Accepter, 107
Actions du personnage, 80-112
- abandonner, 103
- accepter, 107
- aider, 91-92
- approuver, 93
- arrêter (s'), 84
- arriver, 85
- attaquer, 95
- augmenter, 105
- battre, 96
- battre (se), 96-97
- blesser, 88
- boire, 81
- cacher, 88
- changer, 105
- chercher, 100-101
- commander, 106
- commencer, 102
- continuer, 103
- courir, 80
- créer, 104
- crier, 89
- demander, 102
- désirer, 100
- désobéir, 106-107
- détériorer, 104-105
- détruire, 104
- diminuer, 105
- dire, 110-111
- discréditer, 108
- donner, 102
- échouer, 94
- écouter, 82
- écrire 91
- entendre, 82
- entrer, 85
- excuser (s'), 98
- faire, 111-112
- finir, 103
- fuir, 96
- honorer, 108
- jouer, 86
- laver (se), 84
- manger, 81
- marcher, 80
- montrer, 87-88
- mourir, 90
- nettoyer, 83
- nuire, 92
- obéir, 106
- offenser, 97
- oublier, 95
- pardonner, 98
- paresser, 87
- parler, 82-83
- partir, 86
- penser, 90-91
- perdre, 97
- pleurer, 89
- prendre, 101
- préparer, 94
- prévoir, 95
- protéger, 92
- raconter, 91
- regarder, 81-82
- rejeter, 107
- remuer, 84
- reposer (se), 86
- reprocher, 93
- résister, 96
- réussir, 94
- rire, 89
- salir, 84
- sauter, 80
- séparer, 109
- sortir, 85
- taire (se), 83
- tomber, 88
- trahir, 100
- travailler, 87
- tromper, 99
- tromper (se), 99
- trouver, 101
- tuer, 90
- unir, 109
- unir (s'), 109
- vaincre, 97
- venger (se), 98
- voir, 81-82
- voler, 101
- voyager, 86

Adolescent, 36
Adulte, 36-**37**
Adverbes
- de lieu, 33
- de temps, 11

Affirmation d'idées, 126, 127-128, 129-130
Âge, 35-**37**
Agitation, 65-66
Aider, 91-92
Ailleurs exotiques, **32**
Air, 30
Air, mer, montagne, 30-**32**
Amour, 63-64
Années, **5**
Approuver, 93
Arrêter (s'), 84
Arriver, 85
Attaquer, 95
Augmenter, 105

B

Battre, 96
Battre (se), 96-97
Blesser, 88
Boire, 81
Bouche, 40
Bras, 78
Bruits, **19-20**, 29

C

Cacher, 88
Campagne, **16-20**
- bruits, **19-20**
- environnement, 18-**19**
- habitations, 17
- lumières, **19-20**
- odeurs, **19-20**

Caractéristiques physiques du personnage, 35-45
- adolescent, 36
- adulte, 36-**37**
- âge, 35-**37**
- bouche, 40
- cheveux, **42**
- enfant, 35-36
- lèvres, 40-41
- menton, 41
- nez, 43
- oreille, **44**
- physionomie, 37-**44**
- regard, 39, 40
- taille, 43
- visage, **37**-38
- voix, 41
- yeux, 38-39, 50

En gras: sections ou têtes de chapitres; renvois aux images évocatrices.

INDEX

Caractéristiques psychologiques du personnage, 45-51
  défauts, 47-48, 49
  qualités, 45-46, 49
Changer, 105
Chercher, 100-101
Cheveux, **42**, 77
Ciel, 8-**9**
Climat
  chaud, 20-**23**
  froid, 27-**29**
  tempéré, 24-**26**
Cœur, 51, 75-76
Colère, 73-74
Commander, 106
Commencer, 102
Concession, 131
Conclusion, 132
Constellations, 8-**9**
Conte (le), 117-**122**
  lieux, 120-121
  objets, **122**
  personnages, 117-120
Continuer, 103
Courage, 67-68
Courir, 80
Créer, 104
Crier, 89
Cris d'animaux, **23**, 27
Culture, 20-**21**, 24, 27-**28**

D

Défauts, 47-**48**, 49
Demander, 102
Dénouement, 113-**116**
  échec, 114-115, **116**
  échouer, 114-115
  faire échouer, 115
  réussite, 115-**116**
  terminer, 114
Désespoir, 69-70
Désirer, 100
Désobéir, 106-107
Détériorer, 104-105
Détruire, 104
Diminuer, 105
Dire, 110-111
Discréditer, 108
Doigts, 50, 79
Donner, 102

E

Échec, 114-115, **116**
Échouer, 94, 114-115
Écouter, 82
Écrire 91
Éléments
  célestes, 8-**9**
  météorologiques, **9-10**
Enfant, 35-36
Entendre, 82
Entrer, 85
Environnement, 13-**15**, 18, **20-21**, 24-**25**, 27-**28**
Épaules, 78
Étoiles, 8-**9**
Événements, 61-62
  heureux, 61
  malheureux 61-62
Excuser (s'), 98

F

Faire, 111-112
Faire échouer, 115
Famille, 55-56
Faune, 22-**23**, **25-26**, **28-29**
Finir, 103
Flore, 22-**23**, **25-26**, **28-29**
Fuir, 96

G

Gorge, 77

H

Habitations, 13-14, **15**, 17, 20-**21**, 24-**25**, 27-**28**
Haine, 72-73
Hésitation, 72
Honorer, 108
Honte 68

I

Idées 125-132
  affirmation d', 126, 127-128, 129-130
  nuance d', 125, 127, 129, 131
  opposition d', 126, 128, 130, 132
Indifférence, 74-75

J

Jambes, 79
Joie, 62-63
Jouer, 86
Jour, moment du, 3-**4**
Jours, **5**
Jours, semaines, années, **4-5**

L

Langue, 51
Laver (se), 84
Lèvres, 40-41
Lieu, adverbes de, 33
Lieux d'un conte, 120-121
Loisirs, **60**
Lumières, 15-**16**, 19-**20**
Lune, 8-**9**

M

Mains, 50, 78
Manger, 81
Marcher, 80
Matin, 3-**4**
Menton, 41
Mer, 30-31
Merveilleux (le), 117-**122**
  lieux, 120-121
  objets, **122**
  personnages, 117-120
Métier, 58-59, 60
Midi, 3-**4**
Milieu social, 56-**57**
Mode de vie, 52-**54**
  en société, 53-**54**
  seul, 52
Mois, saisons, 5-**7**
Moment (le), 11
Moments du jour, 3-4
Montagne, 31-**32**
Montrer, 87-88
Mourir, 90

N

Nettoyer, 83
Nez, 43, 51, 77
Nuages, **9-10**
Nuance d'idées, 125, 127, 129, 131
Nuire, 92
Nuit, 3-**4**

O

Obéir, 106
Objets d'un conte **122**
Odeurs, **15-16**, **19-20**, **23**, 27

En gras: sections ou têtes de chapitres; renvois aux images évocatrices.

er, 97
nion, 124, 131
pinion, texte d', 124
Opposition d'idées, 126, 128, 130, 132
Oreille, **44**, 51
Orgueil, 64 - 65
Oublier, 95

P

Pardonner, 98
Paresser, 87
Parler, 82 - 83
Partir, 86
Peau, 50, 78
Penser, 90 - 91
Perdre, 97
Personnage, 35 - **60**, 117 - 120
- actions du, 80 - 112
- caractéristiques physiques du, 35 - 45
- caractéristiques psychologiques du, 45 - 51
- réactions du 62 - 79
- relations du 55 - 57

Peur, 70 - 71
Physionomie, 37 - **44**
Pieds, 50, 79
Planètes, 8 - **9**
Pleurer, 89
Précipitations, **9 - 10**
Prendre, 101
Préparer, 94
Prévoir, 95
Protéger, 92

Q

Qualités, 45 - 47, 49

R

Raconter, 91
Réactions du personnage, 62 - 79
- agitation, 65 - 66
- amour, 63 - 64
- colère, 73 - 74
- courage, 67 - 68
- désespoir, 69 - 70
- haine, 72 - 73
- hésitation, 72
- honte, 68 - 69
- indifférence, 74 - 75
- joie, 62 - 63
- orgueil, 64 - 65
- peur, 70 - 71
- souci, 71
- surprise, 66 - 67
- tristesse, 69

Regard, 39, 40
Regarder, 81 - 82
Rejeter, 107
Relations du personnage, 55 - **57**
- famille, 55 - 56
- milieu social, 56 - 57

Remuer, 84
Renfort d'idées, 132
Reposer (se), 86
Reprocher, 93
Résister, 96
Réussir, 94
Réussite, 115 - 116
Rire, 89

S

Salir, 84
Sauter, 80
Semaines, **5**
Séparer, 109
Soir, 3 - **4**
Soleil, 8 - **9**
Sons, 15 - **16**
Sortir, 85
Souci, 71
Surprise, 66 - 67

T

Taille, 43
Taire (se), 83
Temps, adverbes de, 11
Terminer, 114
Tête, 51, 76
Tomber, 88
Trahir, 100
Transitions, 131 - 132
- concession, 131
- conclusion, 132
- nuance, 131
- opinion, 131
- opposition d'idées, 132
- renfort d'idées, 132

Travailler, 87
Tristesse, 69
Tromper, 99
Tromper (se), 99
Trouver, 101
Tuer, 90

U

Unir, 109
Unir (s'), 109

V

Vaincre, 97
Venger (se), 98
Vent, 9 - **10**
Vie, mode de, 52 - **54**
Ville, 13 - **16**
- environnement, 14 - **15**
- habitations, 13 - 14, **15**
- lumières, 15 - **16**
- odeurs, 15 - **16**
- sons, 15 - **16**

Visage, **37** - 38
Voir, 81 - 82
Voler, 101
Voix, 41
Voyager, 86

Y

Yeux, 38 - 39, 50, 77

Z

Zones climatiques, 20 - **29**
- Climat chaud 20 - **23**
  - cris d'animaux, 23
  - culture, 20 - **21**
  - environnement, 20 - **21**
  - faune, 22 - **23**
  - flore, 22 - **23**
  - habitations, 20 - **21**
  - odeurs, 23
- Climat froid 27 - **29**
  - bruits, **29**
  - culture, 27 - **28**
  - environnement, 27 - **28**
  - faune, **29**
  - flore, **28 - 29**
  - habitations, 27 - **28**
- Climat tempéré 24 - **26**
  - culture, 24 - **25**
  - environnement, 24 - **25**
  - faune, **26**
  - flore, 25 - **26**
  - habitations, 24 - **25**

En gras : sections ou têtes de chapitres ; renvois aux images évocatrices.